HERBERT SCHMID

DIE GESTALT DES ISAAK

ERTRÄGE DER FORSCHUNG

Band 274

WISSENSCHAFTLICHE BUCHGESELLSCHAFT
DARMSTADT

HERBERT SCHMID

DIE GESTALT DES ISAAK

Ihr Verhältnis zur Abraham- und Jakobtradition

WISSENSCHAFTLICHE BUCHGESELLSCHAFT
DARMSTADT

Die Deutsche Bibliothek – CIP-Einheitsaufnahme

Schmid, Herbert:
Die Gestalt des Isaak: ihr Verhältnis zur Abraham- und Jakobtradition / Herbert Schmid. – Darmstadt: Wiss. Buchges., 1991
(Erträge der Forschung; Bd. 274)
ISBN 3-534-10414-5
NE: GT

Bestellnummer 10414-5

Gedruckt auf säurefreiem und alterungsbeständigem Werkdruckpapier
Satz: Fotosatz Janß, Pfungstadt
Druck und Einband: Wissenschaftliche Buchgesellschaft, Darmstadt
Printed in Germany
Schrift: Linotype Garamond, 9.5/11

ISSN 0174-0695
ISBN 3-534-10414-5

INHALT

VORWORT

Dieser Band bedarf in Anbetracht der Forschungsgeschichte von WESTERMANN, Genesis 12–50, EdF 48, Darmstadt 1975 (unveränderte Neuauflage 1987) einer gewissen Rechtfertigung: Einerseits ist die Forschung weitergeschritten und komplizierter geworden; andererseits ist WESTERMANN nicht auf die Isaak-Überlieferung in Gen 26 eingegangen; er schreibt zwar in Klammern: „Die Frage, ob es einmal einen selbständigen Kreis von Isaak-Erzählungen gab, kann zunächst offenbleiben", kommt aber darauf nicht zurück (S. 34).

Wie im Alten Testament, so tritt Isaak in der alttestamentlichen Wissenschaft in den Hintergrund. In der m. W. einzigen Monographie über Isaak, der (ungedruckten) Dissertation von LUTZ, The Isaac Tradition in the Book of Genesis, Drew University 1969, die sich fast ausschließlich mit Gen 26 (ohne die V. 3b–5) befaßt, vermutet der Verfasser, daß Isaak einmal eine bedeutende Gestalt war, die von Abraham und Jakob in den Schatten gestellt wurde. Dieser Vermutung, auch den Beziehungen zu den beiden anderen Erzvätern, soll hier nachgegangen werden. Einige neuere Arbeiten wie die von GISPEN (1982) und MARTIN-ACHARD (1982. 1988. 1992), abgesehen von Lexikon-Artikeln wie der von ALBERTZ in TRE 16, 1987, S. 292ff. und Beiträge über die „Bindung Isaaks" (vgl. BROCKE in TRE 16, 1987, S. 298ff.), zeigen, daß das Interesse an dieser Gestalt und ihrer Wirkungsgeschichte zunimmt. Möge diese forschungsgeschichtliche Bestandsaufnahme mit einigen Lösungsvorschlägen und Anregungen zur weiteren Forschung beitragen.

Für die Hilfe bei der Beschaffung von Literatur, die nur in Auswahl aufgeführt werden kann, habe ich vielen zu danken, auch dem Principal Rev. Martin Cressey und seiner Frau Dr. Pamela Cressey vom Westminster College, Cambridge (GB) für ihre Gastfreundschaft. Zuletzt haben mir durch die Überlassung von noch nicht erschienenen Arbeiten die Herren Kollegen Matthias Augustin (Rostock), Manfred Görg (München), Roland Martin-Achard (Genf) und der Verlag Walter de Gruyter (Berlin) geholfen. Allen sei herzlich gedankt, auch Herrn Akademischen Direktor Friedrich Lemke für Korrekturenlesen und die Erstellung des Bibelstellenregisters.

Kaiserslautern, Ostern 1990 Herbert Schmid

1. LITERARKRITISCHE FORSCHUNG

1.1 Synchrone Literarkritik

Entsprechend der üblichen Gepflogenheit, einen Text zuerst ganz zu lesen und dann zu analysieren, seien zunächst Ergebnisse des "new literary criticism" ("rhetorical criticism") dargeboten, auf den WENHAM (1987) mit der Forderung eingeht: "synchronic study must take priority" (S. XXXIV). COGGINS (1984/5) stellt die Entwicklung der neueren synchronen Literarkritik dar, die er neben dem Strukturalismus und der kanonischen Kritik (vgl. CHILDS) als komplementäre Methode zur diachronen versteht. Wenn es auch nicht einen einzigen Begründer dieser Forschungsrichtung gibt, so ist als Bahnbrecher MUILENBURG (1969) zu nennen, der – allerdings nicht auf Grund von Texten aus der Genesis – fordert: "we affirm the necessity of form criticism, but we also lay claim to the legitimacy of what we have called rhetorical criticism" (S. 18). Wie COGGINS hält auch ALONSO SCHÖKEL (1985) einen Dialog zwischen den Verfechtern der diachronen und der synchronen Auslegung für notwendig: ". . . what the study of literary forms was to the study of sources, literary analysis now is to the study of the history of redaction" (S. 7).

Im folgenden sollen anhand ausgewählter Beispiele Ergebnisse synchroner Literarkritik besonders im Blick auf das Isaak-Kapitel Gen 26, das den Zusammenhang von Gen 25 und 27 unterbricht, dargeboten werden. Während SARNA ([2]1970) bei seiner synchronen Betrachtung von Gen 25,19 – 28,5 das Kapitel 26 übergeht, stellt FISHBANE (1975) eine chiastische Struktur des gesamten Jakob-Zyklus fest. Das zweite (Gen 26) und das vorletzte Kapitel (Gen 34) enthielten funktionale und inhaltliche Entsprechungen: "Gen. 26 serves as a narrative interlude between the opening tensions and their historical development; similarly, Gen. 34 serves as an interlude between the reconciliation between Jacob and Esau . . . It thus emerges that Gen. 26 and 34 are both contextually anomalous chapters which have been integrated symmetrically into the Jacob Cycle, and each creates or sustains a tension with its context. Gen. 26 increases the tension of the developing action, whereas Gen. 34 delays the denouement and release of the entire Cycle" (S. 24). Gemeinsam sei beiden Kapiteln das Leitmotiv des Betrugs; außerdem befürchtete Isaak eine Entehrung seiner Frau; Dina wurde tatsächlich vergewaltigt. RENDSBURG (1986) übernimmt die von FISHBANE festgestellte chiastische Gestaltung des Jakob-Zyklus und überschreibt die „Zwischenspiele“ (Gen 26; 34) mit: “Rebekkah in Foreign Palace. Pact with Foreigners” und “Dinah in Foreign Palace. Pact with Foreigners” (S. 56; allerdings war Rebekka nicht im Palast!). Über FISHBANE hinausgehend, entdeckt RENDSBURG in den beiden “important interludes craftly placed by our master compiler” (S. 59) neun weitere Entsprechungen; so reflektierten beide Kapitel das bekannte “East Mediterranean ‘Helen of Troy’ motif”; in 26, 29.31 erscheine das Schlüsselwort „šalom“ und in 34,21 „šᵉlamim“ (“friendly, upright”). RENDSBURG nimmt für die Ur-, Abraham-, Jakob- und Josephgeschichte je einen Kompilator an. “Whether these four compilers are the same person – in this case we can posit a single editor for the whole book of Genesis – or not, is a question which cannot be answered. But given the systematic working of the entire redactional structure, this would not be a difficult conclusion to reach” (S. 106). Auf Grund von Anspielungen auf die davidisch-salomonische Epoche, z. B. durch das Vorkommen von Philistern in Gen 26 und in der Davidgeschichte (1–2 Sam), dürfte das Genesisbuch in dieser Epoche entstanden sein. “The Philistines of the patriarchal narratives may have been used in Davidic times to show that even in Israel’s past there were differences between the two peoples. Alternatively, the friendly relationship between Isaac and Abimelech in 26:26–31 may have been used to justify David’s peaceful relations with Achish in 1 Sam 27:1–28:2” (S. 111). FOKKELMAN (1975) untersucht ausschließlich die Letztgestalt des Textes. “The work – and now I am thinking of the stories of the patriarchs – is not only . . . a denotation of the historically real world . . . or an unbroken reflection of it, it is a world-in-words. This world exists, and this is fundamental, in the mode of language” (S. 6). Auffallend ist, daß FOKKELMAN in seiner Untersuchung von Gen 25,19–34; 27 und 28 das Isaak-Kapitel zunächst ausläßt. In einem Exkurs (S. 113 ff.) kommt er darauf zurück: Isaak habe Jakob den väterlichen Segen erteilt und ihm den Segen Abrahams gewünscht. In Gen 26 erscheine Isaak nicht um seinetwillen. “Whereas in Gen. 27 he appears as the father of his son, as function of the next generation, Gen. 26 describes him as function of the previous generation. Nowhere is he worth a narration for his own sake, and his experiences are not individual but typical”; wenn auch der Ausdruck etwas unpassend sei, so enthalte Gen 26 “demonstration material” (S. 113 f.). Die Geschichten um den Segen in Gen 26 “serve as a foil to the next chapter in which the father solemnly transmits the blessing" (S. 115). Gen 26 (und 34) füge sich als Familienerzählung, die gleichzeitig Volkserzählung sei, in die Jakobsgeschichte ein. Bilden nach der Urkundenhypothese Gen 25, 19–20. 26b; 26, 34–35; 27, 46 – 28, 9 einen eigenständigen priesterlichen Zusammenhang, so harmonisiert FOKKELMAN, indem er Gen 27, 1 – 28, 5 mit der Überschrift versieht "Jakob takes the fatherly b^{e}raka from Esau" und eine chiastische Entsprechung zwischen 27, 1–5 und 27, 46 – 28, 5 feststellt: "Isaac + son of the brka/bkra"; 28, 6–9 hänge als offenes Ende nach (S. 104 f.). COATS (1983) geht zwar unter Verwendung von genau definierten Gattungsbegriffen formkritisch von der Endgestalt des Textes aus, unterscheidet aber die Quellen des Jahwisten (J; der Elohist sei eine Erweiterung) und der Priesterschrift (P). Er gliedert Gen 26, 34 – 28, 9 als "tale of strife" in die Hauptabschnitte "marriage report" (26, 34 f.), "tale of strife" (27, 1 – 28, 5) und "marriage report" (28, 6–9; S. 197 ff.). Diese Einheit setze den Widerstreit der Brüder in 25, 19 ff. fort, wobei 27, 41–45 auf die Fortsetzung in Gen 32 f. ziele. Die Einheit 26, 34 – 28, 9 sei zusammengesetzt; sie enthalte den priesterlichen "marriage report" von Esau und Jakob und den "dispatch of Jacob" (27, 46 – 28, 5). "For this priestly narrative context is provided by 25, 19–26. Yet, in the priestly context there is no sign of conflict between the two sons of Isaac. To be sure, the birth report itself is assumed (25, 26b) but not preserved. Perhaps P introduced the theme of struggle in a birth report that has not survived" (S. 199). COATS hält Gen 34 für eine "balance for the threat to the ancestress, in Genesis 26" (S. 235). THOMAS L. THOMPSON (1987) lehnt im Gegensatz zu COATS die Quellenscheidung ab (anders noch 1974). Der Pentateuch sei im ausgehenden 7. Jh. zum ersten Mal redigiert worden. Die Erzählungen von der Schöpfung bis zur Entstehung des Königtums seien "story" und nicht "history" (S. 41; vgl. GARBINI 1988), bestehend aus "chain narratives". Gen 26, die zweite Isaakgeschichte nach Gen 24, sei "out of place", da dieses Kapitel die Jakob-Esau "conflict narrative" unterbreche (S. 102). Es gehe aber nicht um "linear plot development"; Gen 26 sei wegen des Konflikt-Themas eingefügt worden; außerdem soll Gen 26 mit Elementen, die der Abraham-Erzählung ähneln, die Erzählketten von Abraham und Jakob zusammenhalten. "An Isaac cycle of tales either never existed, or exists no longer" (S. 103). Die Erzählketten von Abraham und Jakob setzen die Entstehung des Volkes Israel voraus. Die "chain narratives" seien vom Ende des 7. bis in die Mitte des 6. Jh. durch das Toledoth-Schema (vgl. Gen 25, 19) strukturiert worden. "The Isaac stories . . . are connected with each other for the first time in this complex and editorial work of the Toledoth structure, which created for the first time the continuity of a patriarchal history from Abraham to Joseph" (S. 103f.).

Zweifellos stellt die synchrone Betrachtung von Texten als erster Schritt (nach der Textkritik) ein Postulat der Exegese dar, das oft zu kurz kam, wenngleich bei diachroner Auslegung schon immer auf die Komposition geachtet wurde. Eine einseitige synchrone Untersuchung verfehlt die geschichtlich gewordene Tiefendimension. Die Annahme einer kunstvollen Kompilation erfordert die Untersuchung der Texte, die vorgegeben waren. Westermann (1981) bemerkt mit Recht zu den Auslegungen von Fishbane und Fokkelman: „eine richtig erkannte größere Einheit braucht die Einarbeitung von ursprünglich selbständigen Erzählungen nicht auszuschließen. Eine nur synchronische Erklärung bringt zwar einen bisher nicht genügend beachteten Gesichtspunkt zur Geltung, verkennt aber den Charakter von Texten, die nicht nur schriftlich entstanden sind" (S. 496). Es ist auch zu fragen, ob unter Voraussetzung einer ästhetischen Harmonie durch einseitige Überschriften chiastische oder sonstige Entsprechungen festgestellt werden, die gar nicht bestehen. Erzählungen der Tora (vgl. Crüsemann 1989) sind kaum Kunst um der Kunst willen, sondern haben einen für Gruppen und schließlich das Volk Israel konstitutiven (Childs: „kanonischen") Charakter, was freilich eine Ästhetik nicht ausschließt. Neben anderen methodischen Gesichtspunkten müßte die folkloristische Forschung berücksichtigt werden (vgl. Kirkpatrick 1988). Wie bei jeder exegetischen Methode ist eine Verabsolutierung abzulehnen (vgl. Fohrer 1988). Schwab (1989), der den synchronen ganzheitlichen Interpretationsansatz ("holistic view", "close reading") kritisch umreißt, stellt fest, "daß nunmehr der fundamentalistische Zugang zur Bibel literaturwissenschaftlich abgesichert zu sein scheint" (S. 4). Zu weiteren Beispielen (seriöser) synchroner Auslegung siehe 3.2.2: Die Gefährdung der Ahnfrau.

1.2 Diachrone Literarkritik

1.2.1 Die neuere Urkundenhypothese

Die eigentliche Isaak-Überlieferung findet sich in Gen 26; die Verse 1–33 (meist ohne 3b–5) werden in der Regel dem Jahwisten (J) zugeordnet (so u. a. von Lutz 1969; vgl. jedoch Martin-Achard 1988). Dieser Quelle(nschicht) gehören Texte an (vgl. Seebass, TRE 16, 1987, S. 441–451), in denen die Geburt Isaaks verheißen wird (Gen 18,1–16) oder Isaak als Abrahamsohn vorkommt (Gen 24 mit der Nachor-Genealogie Gen 22,20–24) oder als Vater von Esau und Jakob vorausgesetzt wird (Gen 25,21–34) bzw. als solcher auftritt (Gen 27,1–45). Als elohistisch (vgl. SEEBASS, TRE 9, 1982, S. 520–524) gelten mit Abstrichen, wie z. B. 21,3–5 die Kapitel Gen 20,1 – 22,19, auch die Erscheinung des Gottes Isaaks vor Jakob in Beerscheba (Gen 46,1–5a). Fast einhellig werden der priesterlichen Schicht folgende Texte, in denen Isaak erwähnt wird, zugewiesen: Gen 17; 21,(2)3–5; 25,7–10. 19–20. 26b; 26,33–34; 27,46 – 28,9; 35,9–15. 27–29 . . .; Ex 2,23–25; 6,2–9. Trotz dieses bis in die Mitte der siebziger Jahre wenig in Frage gestellten Konsenses ergeben sich auch bei grundsätzlicher Zustimmung zur Quellenscheidung Probleme. Sind J, E und P einheitliche, auf einen Verfasser zurückgehende Quellen oder Schichten bzw. Sammlungen von Schulen? In welchem Verhältnis stehen sie zueinander? Kann Gen 26,7–11 jahwistisch sein, wenn Rebekka offensichtlich kinderlos, nach 25,21 ff. (J) jedoch Mutter von Zwillingen ist? Sind die Gefährdungen Sarais und Rebekkas (Gen 12,10ff.; 26,7ff.) in ihrer Unterschiedlichkeit jahwistische Varianten? Kann E mit Gen 20 beginnen, wenn diese Quellenschicht in Gen 15 nicht nachweisbar ist? Ist Gen 46,1–5a integraler Bestandteil der elohistischen Josephserzählung, die insgesamt keine Gotteserscheinung kennt? Ist die priesterliche Notiz über Isaaks Alter bei der Geburt seiner Söhne Esau und Jakob (Gen 25,26b), die P nicht berichtet, von einem Redaktor eingefügt, oder ist P überhaupt eine Bearbeitungsschicht? Derartige Fragen ließen sich vermehren.

SCHARBERT (1983; 1986) geht in seinen Genesiskommentaren „trotz mancher Unsicherheit“ (1983, S. 1 ff.) von folgendem Forschungsstand aus: Der Jahwist habe als Theologe, mit dem Hofleben vertraut, bald nach Salomos Tod „eine Weltgeschichte von den Anfängen der Menschheit bis zum Beginn der Landnahme Israels in Kanaan verfaßt“. Der Elohist habe in der Krisensituation vor dem Untergang des Nordreiches in seinem geschichtstheologischen Werk, beginnend mit den Patriarchen, versucht, „seinem Volk die Augen zu öffnen einerseits für die Größe seiner Berufung, andererseits für die tieferen Ursachen des jetzigen Niedergangs“; sein Werk sei nur in Fragmenten erhalten geblieben, „weil ein späterer Redaktor nur Teile daraus entnahm“. Nur wenig später – unter Hiskia – sei der Grundbestand des Deuteronomiums redigiert worden. Kurz vor den Anfängen des deuteronomistischen Geschichtswerks zur Zeit Josias habe der Jehowist J und E auf der Grundlage des ersteren vereint. Während des babylonischen Exils habe der deuteronomistische Theologenkreis an den vorliegenden Werken (Dtn, Je, DtrG) weitergearbeitet. Gleichzeitig habe ein unter dem Einfluß Ezechiels stehender priesterlicher Kreis „einen neuen Entwurf einer mit der Erschaffung der Welt beginnenden und mit dem Tode des Mose schließenden Heilsgeschichtsdarstellung geschaffen"; P „sollte vielleicht den Jehowisten ersetzen oder verdrängen". In der Zeit Esras habe ein Redaktor oder eine Priesterschule alle bisherigen heilsgeschichtlichen Entwürfe im Pentateuch vereint; dabei seien größere und kleinere Stücke anderen Ursprungs eingefügt worden, „so daß sich im heutigen Pentateuch neben den großen ‚Quellen' und den verbindenden ‚Klammern' der Redaktoren eine große Zahl von Texten finden, die keiner der genannten ‚Quellen' zugewiesen werden können" (1983, S. 11 f.). Zu letzteren rechnet er Gen 46, 1–5a aus exilisch-nachexilischer Zeit (1986, S. 277f.; ähnlich Dietrich 1989). Hingegen sei Gen 26, 1–33 jahwistisch; die Erzählung von der Geburt Esaus und Jakobs und vom Verkauf der Erstgeburt (Gen 25, 21 ff.) habe einmal hinter 26, 33 gestanden (S. 183). Die beiden Ahnfrauerzählungen in Gen 12, 10ff. und 26, 7ff. seien jahwistisch, weil diese Wandertradition möglicherweise in Beerscheba (26, 26, 6) anders erzählt worden sei als in Hebron (S. 186). Scharbert nimmt wiederholt Vorlagen an, die der Jahwist z. B. in Gen 26 sammelte und gestaltete (S. 185). Die lange Erzählung von der Brautwerbung für Isaak (Gen 24) habe der Jahwist vermutlich auf Grund einer Brunnenerzählung (vgl. Gen 29, 1 ff.; Ex 2, 15 ff.) gestaltet (S. 172).

Während Scharbert die neuere Urkundenhypothese etwas ausgestaltet, bleibt Werner H. Schmidt ([4]1989) bei ihrer einfachen klassischen Form: J um 950; E um 800; D (Urdeuteronomium) im 7. Jh.; P um 550. „Unsicher bleibt, in wie vielen Stufen die Redaktion stattfand" (S. 48). „Ob man die Entstehung des Pentateuch grob mit der Formel J-E-D-P oder J-E-P-D zu umschreiben hat, ist noch nicht entschieden" (S. 55).

Ein entschiedener Verteidiger der neueren Urkundenhypothese ist u. a. Ludwig Schmidt (1988). Er faßt das Ergebnis seiner literar- und redaktionskritischen Untersuchung von Gen 27, 1–45 dahingehend zusammen, daß „zwei literarische Fassungen nachweisbar sind, die sich J und E zuordnen lassen. Die elohistische Version ist eine literarische Neugestaltung von J . . . Der Jehowist wollte . . . seine Vorlagen vollständig aufnehmen. Wo das nicht möglich war, gab er jeweils der ausführlicheren Fassung den Vorzug . . . Aus 27, 36 folgt, daß auch 25, 29–34 zu E gehören . . ." (S. 183). Wenn auch E von J abhängig sei, so ließe sich E nicht bloß als redaktioneller Bearbeiter von J verstehen. In ›Literarische Studien zur Josephsgeschichte‹ (1986) hält Ludwig Schmidt

Gen 46,1–5a für elohistisch. Das Wort des Gottes Isaaks an Jakob: „fürchte dich nicht vor dem Hinabziehen nach Ägypten" beziehe sich nicht antithetisch auf 26,2 („zieh nicht nach Ägypten hinab ..."), sondern gehöre einer elohistischen Linie an: „Durch Gen 31,11.13 vollzieht sich bei Jakob eine Wende, die nur seine Person betrifft. Mit Gen 46,1αβ–5a schafft Gott eine Wende für Jakob selbst; durch die Verheißung des großen Volkes, zu dem Jakob werden soll, vollzieht Gott aber zugleich einen Einschnitt der Väterzeit. Mit der Berufung des Mose in Ex 3 wendet Gott schließlich das Geschick jenes Volkes, das auf Grund seiner Zusage an Jakob entstanden ist" (S. 191; ähnlich SEEBASS 1978, S. 112f.). Neuerdings schreibt RUPPERT (1989) die Theophanieerzählung (Gen 46,1ff.), deren Kern elohistisch und ursprünglich in Bethel zu lokalisieren sei, einer jehowistischen Bearbeitung zur Zeit Hiskias zu, die den Altar von Beerscheba (26,24f.) voraussetze. In Anbetracht der zunehmenden Ablehnung des Elohisten (vgl. 1.2.4) ist es bemerkenswert, daß WEIMAR (1989) in Gen 15,1.3f. eine elohistische Grundschicht nachzuweisen versucht (HAAG 1989 eine jehowistische), die sich auch in Gen 20 und 22 fände; sie sei in Gen 15 jehowistisch und zweimal deuteronomistisch überarbeitet worden (vgl. WEIMAR 1988: Artikel ›Abraham‹ und ›Ahnfraugeschichten‹ in NBL). Keine elohistischen Spuren entdeckt HA (1989) in Gen 15 als ›A Theological Compendium of Pentateuchal History‹.

BERGE (1990) datiert den Jahwisten in die davidisch-frühsalomonische Zeit. In seiner eingehenden Untersuchung beschränkt er sich hauptsächlich auf die jahwistischen Texte Gen 12; 27,27b–29 und 28,13–15. Gen 26 sei nicht nur nachjahwistisch (später als 12,10ff.), sondern auch nachelohistisch (später als Gen 20 E). ERNST HAAG (1981) arbeitet in Gen 18 eine Mamreerzählung heraus, nach der Jahwe Abraham bei den Eichen von Mamre erscheint und ihm einen Sohn verheißt. Diese Grundlage sei vom Jahwisten bearbeitet worden; KILIAN (1966) hatte die Pluralschicht mit den drei Männern als Vorlage des Jahwisten angesehen, den er neuerdings im Gefolge von HANS HEINRICH SCHMID (1976) überraschend in die Exilszeit datiert (1989), was zu einer grundlegenden Abwandlung oder Aufgabe der neueren Urkundenhypothese führen dürfte (vgl. BEGRICH 1989). Zur priesterlichen Schicht vgl. 1.2.5.

1.2.2 Die neueste Urkundenhypothese

Diese Hypothese, nach der ein (frühdatierter) Jahwist aus zwei Quellen oder Schichten besteht, hat zwar nur wenige Anhänger gefunden (RESENHÖFFT 1977), taucht aber in veränderter Form immer wieder auf. EISSFELDT (1922/1962) zählt zu der dem Jahwisten vorausgehenden Laienquelle (L) die pluralische Version von den drei Männern in Gen 18,1b–2. 4–9, die Aufzählung der Nachkommen Abrahams und Keturas (25,1–6), die Notiz von Isaaks Wohnsitz bei Beer-Lachaj-Roi (25,11b), die Erzählungen von der Geburt Esaus und Jakobs und von Esaus Verkauf seiner Erstgeburt an Jakob (25,21 ff.). In Gen 26 gehören zu L die Verse 1–2a. 3a. 6–23. 25aβ–33. Es stößt sich allerdings die in der Gefährdungserzählung (26,7ff.) vorausgesetzte Kinderlosigkeit Rebekkas mit der Geburt der Zwillinge (25,21ff.). FOHRER ([10]1965) wies in Gen 26 die Verse 1–3a. 6–11. 24f. dem Jahwisten zu, aber keine Verse der auf J folgenden Nomadenquelle (N; 26,3b–5 sei elohistisch). Diese versehentliche Nichtberücksichtigung von N in Gen 26 hat FOHRER 1986 behoben: 26,12–23.26–33 gehöre N an (S. 81). Die Gefährdung der kinderlosen Rebekka in 26,6–11 (J) und Saras in 12,10ff. (N) seien (wie Gen 20 E) Varianten. VERMEYLEN (1989) spricht statt von Quellen von Textfamilien; den Jahwisten scheidet er in eine antisaulidische „Familie“ aus der Zeit Davids (Dv) und in J aus der Zeit Salomos. E sei keine eigenständige Schicht, sondern eine vermutlich aus dem Nordreich stammende Ergänzung zu Dv und J im Lichte der Prophetie aus der Zeit nach Amos bis zum Exil. Dv gehören (mit Einschränkungen) Gen 26 und 27,1–40 (z. T. J) an. «L'histoire des relations entre Isaac et Abimélek (Gen 26) présente, elle aussi, des analogies avec celle de David et Saül: pris en haine par Saül (1 Sam 18,8–9. 29; cf. Gen 26,27), David est cependant reconnu par lui comme protégé de Yahvé (1 Sam 18,28; cf. 26,28) et devient enfin partenaire d'un pacte avec l'Israël du nord (2 Sam 5,3; voir déjà l'accord avec Jonathan en 1 Sam 18,3; 20,41–42; cf. Gen 26,28b. 30–31)» (S. 170f.). In Gen 26 seien die Gefährdung Rebekkas und der Vertrag mit Abimelech ursprünglich unabhängige Traditionen gewesen, die der Redaktor aufgenommen habe (S. 187). Dem Jahwisten weist VERMEYLEN u. a. zu: Gen 18,1–14; 21,1–3; 25,22ff.; 27,1–40, dem Elohisten Gen 20f.; 22,1–19; 25,29–34; 46,2–5 (jeweils mit Abstrichen).

1.2.3 Weitere Abwandlungen der Urkundenhypothese

WEIMAR (1977; vgl. seine Artikel ›Abraham‹ und ›Ahnfraugeschichten‹ in NBL = Neues Bibel-Lexikon 1988 ff.) versteht das vom Jehowisten aus J und E geschaffene Werk als Programm der hiskianischen Reform, das dann zweimal deuteronomistisch redigiert und schließlich in die priesterliche Grundschicht eingearbeitet wurde. WEIMAR (1988) setzt sein scharfes literarkritisches Messer bei der priesterlichen Schicht selbst an. In Gen 17 arbeitet er eine vorpriesterliche Grundschicht heraus (Verse 1–4a. 6. 22), die durch den Verfasser des priesterschriftlichen Werkes bearbeitet (P^G) und von P^S ergänzt wurde. Der Pentateuchredaktor (R^P) habe das jehowistisch-deuteronomistische Werk mit der priesterlichen Schicht zu einem geschlossenen Erzählzusammenhang verbunden.

WEISMAN (1985) kommt unter Beachtung geographischer und soziologischer Gegebenheiten zu dem Schluß, daß die Jakob-Erzählungen ältere Traditionen als die von Abraham und Isaak enthalten. Unter der Voraussetzung der Urkundenhypothese sei zu folgern, daß der Elohist die ältere, der Jahwist die jüngere Schicht darstelle. “The ‘Jehovist’ was responsible for uniting the stories about Jacob and those about Abraham and Isaac into a single historical and literary unity” (Zion 1985, S. VIII). Auch in bezug auf die Verheißungen reflektierten die elohistischen (vgl. Gen 46, 1–4) ein früheres Stadium des Nationalbewußtseins (JSOT 31, 1985, S. 55–73). Im Gegensatz dazu sieht ZENGER (1987), der früher mit WEIMAR übereinstimmte, in E eine „vermutlich im Nordreich entstandene Bearbeitungsschicht von J (sozusagen: ein elohistisch erweitertes jahwistisches Werk)“ (S. 176).

Eine komplizierte Abwandlung der Urkundenhypothese scheint sich bei GARCIA LOPEZ (1980) anzubahnen. Er schält in seinem die Forschungsgeschichte berücksichtigenden Beitrag aus Gen 24 einen Grundtext heraus, der dem jahwistischen Werk angehöre und dreimal ergänzt worden sei. Die ersten «complementos» deuteten auf eine deuteronomische Redaktion mit elohistischen Anklängen; der zweite «grupo de adiciones» lasse an eine deuteronomisch-deuteronomistische Redaktion mit jahwistischen Anklängen denken; die letzten Zusätze aus exilisch-nachexilischer Zeit spielten antithetisch auf Mischehen an. «En conclusión, Gen 24 nos sitúa ante un vasto horizonte literario que va del ‹yahvista› al ‹deuteronomista›» (S. 559).

1.2.4 Die Ablehnung des Elohisten

Die Existenz dieser nur fragmentarisch erhaltenen Quelle ist wiederholt bestritten worden. Wie dargelegt, sehen z. B. Coats (1983), Zenger (1987) und Vermeylen (1989; dagegen Seebass 1989, S. 199ff.) in den „elohistischen" Texten eine Bearbeitungsschicht des Jahwisten. Allerdings gibt es zu Gen 22,1–14.19 keine jahwistische Vorlage (vgl. Hans-Christoph Schmitt, 1986). Westermann schrieb 1975 (^{2}1987) in bezug auf Gen 15: „Damit aber, daß der deutliche programmatische Einsatzpunkt der Quelle E für dieses Kapitel unsicher geworden ist, erhält E in der Abrahamgeschichte einen nur fragmentarischen Charakter; einige Forscher bestreiten eine E-Schicht in den Abraham-Erzählungen überhaupt" (S. 38; anders Weimar 1989). Inzwischen gehört Westermann selbst zu diesen Forschern. In seinem großen Kommentar führt er zum Ort von Gen 20 aus: „Wo überhaupt eine literarische Quelle oder Schicht E angenommen wird, ist die Zurechnung von Kap. 20 zu ihr so gut wie einhellig." Kriterien dafür seien außer der Gottesbezeichnung Elohim Traumoffenbarungen und das Theologumenon Gottesfurcht. Diese Kriterien ließen zwar einen Unterschied zu jahwistischen Texten erkennen, „reichen aber für die Zuordnung zu einem literarischen Werk noch nicht aus . . . Für dieses muß eine ganzheitliche Konzeption erkennbar sein . . . von Gen 20 allein auf ein elohistisches Werk zu schließen, ist nicht möglich. Ob man von elohistischen Fragmenten sprechen kann . . ., muß noch offenbleiben" (1981, S. 390f.). Gen 21,8–21 gehe auf einen Ergänzer zurück. E läge auch nicht in 21,22ff., der Fortsetzung von Kap. 20, vor (S. 414.423). Bei der Auslegung von Abrahams Opfer (Gen 22) erwägt Westermann eine elohistische Autorschaft überhaupt nicht mehr. Im „Abschluß zu Gen 12–36" führt er aus, daß der Redaktor nur J und P vereinigt habe. „Für die Frage nach dem Elohisten . . . ergibt die Rahmung durch R in 11,27–32 und 21,1–7, daß Texte, die man im allgemeinen E zuschreibt, nicht in dem redaktionellen Spannungsbogen . . ., sondern nur in den darauffolgenden Ergänzungen begegnen. Die Tatsache, daß sie Nachträge sind, spricht als solche dagegen, daß sie eine Parallelüberlieferung zu J darstellen" (S. 696). Es versteht sich von selbst, daß Westermann (1982) die Einheit Gen 46,1–5a (Itinerar, Väterverheißung mit Wegweisung) als eigenständige Tradition nicht dem Elohisten zuweist (S. 169ff.). Westermann vertritt in der Vätergeschichte eine Zweiquellentheorie, rechnet mit zahlreichen Ergänzungen (u. a. Gen 14; 20; 21,8ff.22ff.; 22,1–19.20ff.; 24; 25,1–6) und mißt dem Redaktor eine große literarische und theologische Bedeutung bei. Das eigentliche Isaak-Kapitel (Gen 26) sei als geschlossene literarische Komposition eingeschoben worden; infolgedessen „kann es nicht von J sein“ (1981, S. 516). Zu diesem Ergebnis kommt auch BERGE (1990, bes. S. 93ff.); er zeigt durch einen Vergleich von Gen 12 (J) mit Gen 26, daß dieses Kapitel von jenem abhänge und somit nicht vom Jahwisten aus davidisch-salomonischer Zeit stammen könne. Die Ablehnung des Elohisten (den BERGE voraussetzt) führt dazu, daß die Urkundenhypothese mit einer Ergänzungshypothese verbunden oder durch ein redaktionsgeschichtliches Modell verändert werden muß.

1.2.5 Die Priesterschrift als Quelle oder als redaktionelle Bearbeitung?

Priesterliche Texte wie Gen 17; 21,3–5; 23; 25,7–11. 12–17. 19–20. 26b; ... 35,27–29 sind aufeinander bezogen und sprechen für eine eigenständige Quelle(nschicht) (vgl. SKA 1989). Die Überschrift „Dies sind die Toledot (= Zeugungen) Isaaks, des Sohnes Abrahams“ (25,19a), auf die gar keine priesterliche Geburtsgeschichte folgt, oder die Notiz „und Isaak war 60 Jahre, als sie geboren wurden“ (25,26b), lassen eine redaktionelle Bearbeitung vermuten. WESTERMANN (1981, S. 503) nimmt an, daß ein Redaktor aus der Quelle P die V. 25,19–20.26b entnommen und mit J (25,21–26a.27–28) analog zu Gen 11,27–32 eine Einleitung zur Jakob-Esau-Geschichte gebildet habe. Der fragmentarische Charakter von P in Gen 25 wird also einem Redaktor angelastet. Demgegenüber sieht VAN SETERS (1975; vgl. auch CROSS 1973; BLENKINSOPP 1976; KAISER [5]1984, S. 111) in derartigen chronologischen und genealogischen Notizen und in “larger episodic units” wie Gen 17 und 23 priesterliche Ergänzungen zum spätjahwistischen Text (S. 313). RENDTORFF (1977) erkennt in der priesterlichen Schicht, auch in der Urgeschichte (1989), eine Bearbeitung, die keinen „kontinuierlichen Erzählzusammenhang“ darstelle; gleichwohl stehen die priesterlichen Texte „untereinander in offenkundiger Verbindung“ (1977, S. 131). NEFF (1970) ist der Ansicht, daß Gen 17,15–21 und 21,2 ein “Healing Narrative” bilden “from barrenness and disgrace to fruitfulness and honor”. RENDTORFF (1977; S. 141) stellt fest, daß Gen 27,46 – 28,5; 35,9–13; 48,3f. mit Gen 17 verbunden seien, jedoch den Begriff „Bund“ nicht verwenden. Dieser Terminus findet sich aber in Ex 2,23ff. und 6,2ff. Isaak und Jakob sind deswegen in den Bund von Gen 17 einbegriffen; auch muß P eine Offenbarung an Isaak gekannt haben. Dies setzt m. E. voraus, daß P Gen 26 vorlag. Nach

Rendtorff gibt es keine eigenständige priesterliche Erzählung, wohl aber eine priesterliche Bearbeitungsschicht. Blum (1984) übernimmt diese Sicht und gestaltet sie weiter aus. Die in 26,34f.; 27,46 – 28,9 enthaltene Mischehenproblematik spräche für die nachexilische Zeit (S. 453). Blums Ergebnisse stimmen weitgehend mit denen von Tengström (1982) überein, auf den er nachträglich hinweist. Dieser stellt die Geschichte der Erforschung der priesterlichen Schicht dar, die er selbst für eine Ergänzung hält. Zur Toledotformel gehören sowohl die einsträngige – "erzählerische" – als auch die mehrsträngige – „namenaufzählende" – Genealogie (z. B. Gen 11,10–26). Im Sinne der „erzählerischen Genealogien" habe P als Bearbeiter die jahwistische Grundschicht (vgl. Tengström 1976; 1988) eingeteilt und entsprechend dem Toledotschema, das sich in Gen 5 findet, strukturiert. Sieht man von den Toledotformeln, die Genealogien einleiten, ab (z. B. 25,12ff.), so bleiben sieben Abschnitte im Einklang mit den sieben Schöpfungstagen (Gen 2,4a; 5,1; 6,9; 11,27; 25,19; 37,2). Das Fehlen der Toledot Abrahams für die Isaakerzählung beruhe darauf, „daß der Verfasser der P-Schicht ihm keine so selbständige Bedeutung zugebilligt hat" (S. 36). Schon in der (jahwistischen) Grunderzählung stehe Gen 26 im Zusammenhang der Jakobgeschichte. P habe bewußt die Überschrift „und dies sind die Toledot Isaaks" vor die Erzählung von der Geburt seiner Söhne (25,21ff.) und vor das Isaak-Kapitel (Gen 26) gestellt. Die fehlende Überschrift „dies sind die Toledot Abrahams" ersetze der Satz: „Abraham zeugte Isaak" (21,19b; S. 36). Somit erweist sich das Toledotsystem als eine Rahmenbearbeitung. Die priesterliche Schicht habe die (jahwistische) Grunderzählung im Sinne der Ergänzungshypothese erweitert. Ähnlich sieht Ska (1989) in P^G eine Ergänzung, die als letzte Redaktion den Pentateuch kunstvoll strukturiert habe.

Gegen das Verständnis der Priesterschrift als einer Bearbeitung werden verstärkt Einwände erhoben. Weimar (1974; vgl. auch 1986 und 1988) erkennt in der priesterlichen Jakobsgeschichte, die in Parallele zu der von Abraham stehe, einen dreiteiligen Aufbau (Toledot Ismaels und Isaaks; Wanderungen Jakobs; Toledot Esaus und Jakobs). Zenger (1983) schließt sich Weimar weitgehend an; da P^G eine andere Geschichtstheologie entwerfe als JE, sei P weder eine Bearbeitung noch Endredaktion, sondern eine eigene Quelle (allerdings aus mehreren Schichten; vgl. 1988; auch Specht 1987 lehnt P als Bearbeitung ab). Fritz (1987) versteht P^G als Quelle, P^S als Bearbeitungsschicht von P^G und einer vermutlich deuteronomistisch bearbeiteten Fassung des Jahwisten (S. 428). In seinem Rendtorff gewidmeten Aufsatz ›P – kein Redaktor!‹ (1987) räumt Koch zwar ein, daß vor allem zwei Beobachtungen für P als einer Redaktionsschicht sprächen: einmal die den J(E?)-Stoff gliedernden Toledotformeln, auf die – wie bei Gen 25,19 – gar keine priesterliche Erzählung folge; dann die höchst unterschiedliche Erzähldichte des P-Bestandes; so sind über Isaak nur Stammbaumnotizen erhalten (25,19f.26b). Die Erwägung KOCHS, ob Jakob und besonders Joseph bei P, der judäische Interessen vertrete, als nordisraelitische Gestalten zurücktreten, könnte man durch die Frage ergänzen, ob dies auch bei Isaak zutreffe, der vermutlich ursprünglich eine nordisraelitische Gestalt war (vgl. Am 7,9.16; siehe 2.1). Als Eckdaten, die für P als selbständige Quelle sprechen, verweist KOCH auf die doppelte Menschenerschaffung (Gen 1,27ff. gegen 2,5ff.), auch auf die Verben „fruchtbar sein" und „sich mehren", die sich in Väterverheißungen konkretisieren und bei der Volkwerdung in Ägypten erfüllen (Gen 17,2.20f.; 28,3f.; 35,11; 47,27; 48,3f.; Ex 1,7; Lev 26,9). So sei u. a. „der Widerspruch zwischen dem verantwortlichen Dasein des Menschen in 1,27 und seinem Nichtvorhandensein 2,5 ... bislang ... von den Verfechtern der These P als Erweiterungsschicht von JE noch nicht gesehen und behandelt worden" (S. 461). Als weiteres Eckdatum weist KOCH auf Ex 6,2ff. im direkten priesterlichen Anschluß an 2,23aβ–25 hin. Der Rückverweis auf El Schaddaj greife auf Gen 17,1; 28,3; 42,14 und 48,3 zurück (S. 462f.). Ex 6,2ff. könne keine Ergänzung zur Offenbarung des Jahwe-Namens in Ex 3 sein. Da schon die Väter Jahwe anriefen, stamme Ex 6,2ff. samt dem priesterlichen Kontext nicht von einem Überarbeiter, sondern gehöre einer eigenen Quelle an. Nach KOCH „bedarf es nicht vermehrter Redaktionsthesen, sondern einer gründlichen methodischen Diskussion" (S. 467). Sinnvoll wäre es, von der Endgestalt des Textes ausgehend P auszugrenzen und u. U. in R^P, P^G, P^S, P^{SS} aufzugliedern. „Welche Art von Rissen, Doppelungen und Widersprüchen unter den Bedingungen altorientalischer Traditionsliteratur auf unterschiedliche Autoren und mehrfache Bearbeitung schließen lassen, bedarf einer vergleichenden Untersuchung, die noch nicht in Angriff genommen ist" (S. 467). Auch WERNER H. SCHMIDT (1988) verteidigt in seinem ›Plädoyer für die Quellenscheidung‹ anhand der Unterschiedlichkeit der Berufung Moses in Ex 3 und 6 die neuere Urkundenhypothese; er betont die Zusammengehörigkeit von Noahbund (Gen 9), Abrahambund und der Berufung Moses in Ex 6 (vgl. auch KOHATA 1986, bes. S. 28ff.; 351ff.).

In Anbetracht der Argumente für P als redaktionelle Bearbeitungsschicht oder als Quelle erhebt sich m. E. die Frage, ob die Alternative falsch sei, zumal P selbst Schichten und Ergänzungen enthalten dürfte. Die priesterlichen Texte Gen 17; 35,9ff. und Ex 6,2ff. stehen einerseits in einem unwidersprochenen Zusammenhang; andererseits nehmen sie auf und gestalten neu Gen 15 und 18; Gen 28,10ff. und Ex 3f. Spricht dieser Tatbestand nicht für eine (priesterliche) Schule mit eigenen Traditionen, die durch Toledotformeln und chronologische Notizen (z. B. Gen 26,19–20.26b) nicht nur strukturierte, sondern durch umfassende und komprimierte Darstellungen vorliegende Überlieferungen vervollständigte? Der in Ex 2,24 erwähnte Bund nicht nur mit Abraham und Isaak, sondern auch mit Jakob ist in Gen 17 direkt bzw. indirekt enthalten; in Gen 34, das der angenommenen priesterlichen Schule vorlag, ist die Beschneidung Jakobs (und seiner Söhne) vorausgesetzt. Jahwe erschien den drei Vätern als El Schaddaj (vgl. Gen 17; 35,9ff.). P berichtet jedoch keine Theophanie vor Isaak. Die priesterliche Schule (in Jerusalem?) setzt wohl die Gottesreden in Gen 26,2ff. 24 voraus, bei denen Rendtorff (1977, S. 139) einen Zusammenhang mit der priesterlichen Bearbeitungsschicht vermutet. Gehen sie im Kern auf (ehemalige) Priester in Beerscheba zurück? Mag auch die priesterliche Schicht als Quelle oder als Bearbeitungsschicht – m. E. ist sie beides – umstritten sein, ihre Existenz läßt sich nicht leugnen. Infolgedessen ist es geboten, von ihr aus die Entstehung der Vätergeschichte zu untersuchen.

1.2.6 Unterschiedliche Datierungen der Schichten

Aus dem Bereich der Vätergeschichte dient vor allem Gen 26,34f.; 27,46–28,9 zur Datierung der priesterschriftlichen Texte. Nach Blum (1984, S. 453) erfordert die in diesen Versen formulierte Mischehenproblematik eine nachexilische Ansetzung. Westermann (1981) schreibt: „Von allen P-Texten der Genesis wird in 27,46–28,9 am deutlichsten, daß P ein Schriftsteller aus der Zeit des Exils mit selbständiger Konzeption ist, der die alten Erzählungen von J kennt, sie aber von seiner Konzeption her völlig umgestalten kann“ (S. 544). Wenn die Datierung von P in die exilische, besser nachexilische Epoche, etwa zur Zeit Esras, in der die Schlußredaktion des Pentateuch als Tora überhaupt erfolgte, fallen dürfte (vgl. Crüsemann 1989), auch sehr wahrscheinlich ist, beweisen läßt sich diese zeitgeschichtliche Ansetzung nicht, denn der Brauch der Endogamie hat sicherlich schon lange bestanden. Eine frühere Datierung von P vertreten – allerdings nicht auf Grund von Argumenten aus der Vätergeschichte – u. a. Zevit 1982, Milgrom 1983, Knohl 1987, Hurvitz 1974; 1988. Wenham, der allerdings P und J (10. Jh.) nicht für durchgehende Quellen hält, äußert: “P before J is not out of the question"; in der Vätergeschichte erscheine J als die "last major redaction" (S. XXXVIII). Alexander (1983) sieht in Isaaks Opfer (Gen 22 E) die Ratifikation des Abrahambundes von Gen 17. Da aber dieses priesterliche Kapitel eindeutig Gen 15f.; 18; 21,8ff. voraussetzt und aufnimmt (so zuletzt Ska 1989, S. 107ff.), scheidet auf Grund der internen Relationen P als älteste Quelle aus; diskussionswürdig ist höchstens das zeitliche Verhältnis von $P^{(S)}$ und deuteronomistischen Bearbeitungen (vgl. Werner H. Schmidt [4]1989, S. 54f.).

Nach Klein (1977) ist die in oder bei Bethel entstandene, nur fragmentarisch erhaltene elohistische Quelle um 800 anzusetzen. Doch ist Seebass (1982) zuzustimmen, der schreibt: „Unsicher ist die Datierung, weil es keine verläßlichen Anhaltspunkte gibt" (S. 523; eine Datierung vor 825 und nach 722 sei jedoch unwahrscheinlich). Die Vorstellung von Abraham als einem unantastbaren Propheten, der wirksame Fürbitte zu tun vermag, würde in die Zeit nach Elia und Elisa passen, langt aber zu einer Datierung nicht aus (Gen 20,7). Nach Weisman (1985) ist E früher als J; so habe in dem elohistischen Vertrag Abrahams mit Abimelech erst der jahwistische Redaktor El Olam mit Jahwe identifiziert (21,33). Dietrich (1989) schält aus der Josephsgeschichte eine in die Zeit Jerobeams I. zurückgehende Novelle heraus, in der Ruben eine besondere Rolle spielt, und eine Josephs-Geschichtsschreibung als Bearbeitungsschicht aus dem Südreich nach 722, in der sich Juda für Joseph einsetzt, doch sind beide Schichten nur zum Teil mit E und J identisch; Gen 46,1–5a sei ein Nachtrag (anders Weisman, der 46,1–4 für elohistisch hält; JSOT 31, 1985, S. 64f.).

Für die zeitliche Festlegung des Jahwisten gibt es keine beweiskräftigen Argumente, wenn auch die Bileam-Weissagung in Num 24,17f. und der Umfang des verheißenen Landes in Gen 15,18 als Hinweise auf David bzw. das davidisch-salomonische Großreich verstanden werden. Die Bemerkung, daß die Kanaanäer damals im Land waren (Gen 12,6b; 13,7b), paßt nur in eine spätere Zeit, da zur Zeit des Großreiches die Kanaanäer im Lande eine Selbstverständlichkeit waren. Sind die Erzväteraltäre in Sichem, Bethel, Mamre (12,7f.; 13,18) und Beerscheba (26,25), die nicht zum Opfern dienen, ein Indiz für die Zeit nach der josianischen Reform (Herbert Schmid 1980)? Hans Heinrich Schmid (1976) datiert J in die Zeit der Deuteronomistik, wobei er sich in der Vätergeschichte hauptsächlich auf Verheißungstexte bezieht, die „in keinem einzigen Fall konstitutiver Bestandteil eines alten Überlieferungsstückes sind" (S. 119). Vorländers (1978) Ansetzung von JE beruht u. a. darauf, daß Abraham in eindeutig vorexilischen Texten nicht vorkommt (S. 50ff.; vgl. Diebner 1974ff.;

Diebner/Schult 1975). Völlig unerwartet hat nun ein aktiver Verfechter der Urkundenhypothese, Kilian (1989), die Frühdatierung von J aufgegeben: „Die Spätdatierung von J scheint mir derzeit die einzige Möglichkeit zu sein, der Gesamtkomposition von Gen 18f. einigermaßen gerecht zu werden. Die hier vorliegenden Textgegebenheiten und ihre theologischen Aussagen bestätigen die Thesen von H. H. Schmid, dem sich mittlerweile eine ganze Reihe anderer angeschlossen haben" (S. 161). Kilian erscheint es jetzt sicher, „daß der Jahwist in Gen 12f. 18f. keine Pentateuchquelle im klassischen Sinn darstellt. Was J hier bietet, ist redaktionelle Arbeit. Die Einführungen von Gen 12,10–20, Gen 15 und Gen 16 erweisen J freilich als Sammler und Kompositor einer umfassenden Abrahamsüberlieferung" (S. 166). Redaktionelle jahwistische Notizen (ohne Vorlage) seien die Verse 21,1a2a. (7?). „Daß auch das Verhältnis J und E neu bedacht werden muß, versteht sich von selbst" (S. 167).

Wider den Trend der Spätdatierung wendet sich u. a. Seebass (1987; 1989, S. 199ff.). Er sieht allerdings, daß die Datierung in der Zeit Salomos durch ein Argument erfolgt, „das direkt keine Beweiskraft hat, indirekt aber sehr überzeugend wirkt . . . Es besteht darin, daß nach dem Urereignis des Großreiches Davids ein Schriftwerk über die konstituierende Vorgeschichte (Ätiologie) zu erwarten ist" (1987, S. 446). Für diese Ansetzung eines im Umfang reduzierten Jahwisten bringt Berge (1990) bedenkenswerte Argumente vor. In Gen 27,27b–29 habe J alte Stammestraditionen bearbeitet und auf das Verhältnis zwischen ganz Israel und nichtisraelitischen Völkern bezogen (S. 143ff.). Die Beistandsformel, die bei J (z. B. in 28,13–15) im Gegensatz zu ihrer Verwendung in Gen 26 noch einer nomadischen Existenzform entspräche, deute auf eine Herkunft aus der Zeit des Großreiches. „J's konsequente nomadische Verwendung der Beistandsformel im Gegensatz zu R^{je}, Gen 26 und der dtr. Tradition, obwohl auch sie von nomadischen Situationen berichten, erklärt sich am besten dadurch, daß der Jahwist zu einer Zeit schrieb, als er noch von Vorstellungen beeinflußt war, die hinsichtlich des Beistandselements von der Wanderungs- und Wüstensituation geprägt waren, während das schon nicht mehr für die übrigen Verfasser zutraf" (S. 227). Gen 26,1–33 (ohne V. 3b–5 und 24) sei nachelohistisch, weil es von Gen 12 (J) und 20 (E) abhänge (S. 93ff.). Die Verheißungen in 12,1–3 reden im staatspolitischen Sinn von der großen Nation Israel. „Gruppen von Menschen, die zu Israel in Beziehung gesetzt werden, werden nicht als staatspolitische Größen geschildert, sondern unter dem Blickwinkel von Verwandtschafts- und Familiengefügen . . . Nur in den Tagen des Großreiches war es möglich, die genannten Größen zu beschreiben, ohne sie als Nationen mit politisch-militärischer Bedeutung zu schildern" (S. 73f.). Die Sprache BERGES verrät, daß er seine umsichtig gewonnenen Ergebnisse als Möglichkeiten oder Wahrscheinlichkeiten versteht, wenn er auch in seinem Schlußsatz von Beweisen spricht: „In dem Maß, in dem die erwähnten Stellen einer gemeinsamen Quellenschrift ‚des Jahwisten' angehören, sind die genannten Kriterien auch Beweise einer möglichen (sic!) Datierung des ‚Jahwisten' in dieser Zeit" (S. 313). Insgesamt dürfte für die konventionellen Ansetzungen der „klassischen" Pentateuchquellen – aber auch für die zunehmenden Spätdatierungen – gelten, daß sie mehr oder weniger möglich oder wahrscheinlich sind. Kein noch so großer Konsens, der einst bestand, macht sie zu gleichsam bewiesenen Tatbeständen. Neuere Datierungsversuche, wie z. B. die von AXELSSON (1987, S. 101: JE im 7. Jh.) oder KREUZER (1989, S. 115: J in frühköniglicher Zeit, E zur Zeit Jerobeams II.), lassen erkennen, daß es sich um Erwägungen handelt.

1.2.7 Die Ergänzungshypothese und das redaktionsgeschichtliche Modell

Es ist ein Unterschied, ob ein Redaktor eine vorliegende Quelle durch einzelne Einheiten ergänzt hat (so z. B. WESTERMANN 1981 in bezug auf die konventionellen elohistischen Texte) oder ob ein Bearbeiter in einem größeren Umfang vorliegende Texte sowohl ergänzt als auch redaktionell bearbeitet hat (so z. B. KAISER ^{5}1984, S. 111: „Die priesterliche Bearbeitung des Pentateuch"). Die meisten Verfechter der Urkundenhypothese nehmen zahlreiche Ergänzungen an. RUPPERT (1985) fordert: „Die Neuere Urkundenhypothese muß durch eine Art von Ergänzungshypothese erweitert werden" (S. 46). TENGSTRÖM (1976; zur skandinavischen Forschung vgl. NIELSEN 1984) löst aus dem Hexateuch literaturgeschichtlich eine „große Israelsage" heraus, die von Gen 11,27 bis Jos 24 reiche und im 11. Jh. in Sichem entstanden sei. Dieser Grunderzählung, die auch konventionelle elohistische Texte enthält und die er 1988 als jahwistisch bezeichnet, gehören u. a. (mit Abstrichen) an: Gen 18 (außer V. 17–19); 19; 21,1–21 (außer V. 4f.); 22,1–19; 22,20–24; (23? 25,8–10); 25,21–34; 26,1–33 (außer 1aβ.2–5.15.18); 27,1–45 (außer V. 29a.29b?36a?36b.37.40b). Die priesterliche Schicht, die auf einen Verfasser zurückgehe, versteht TENGSTRÖM (1982; vgl. 1.2.5) als Erweiterungsschicht; sie sei keine freistehende Quellenschrift, sondern eine Rahmenbearbeitung und

Erweiterung der alten Erzählung“ (S. 4). Damit geht TENGSTRÖMS „literaturgeschichtliche Erweiterungstheorie“ in ein redaktionsgeschichtliches Modell über. Im Anschluß an Arbeiten von WINNETT (1965) und WAGNER (1967) vertritt VAN SETERS (1975) die Hypothese, daß Texte wiederholt ergänzt und redigiert wurden. Zum vorjahwistischen Bestand zählt er u. a. die Gefährdung Saras (Gen 12,10ff.) und die Verheißung Isaaks und seine Geburt (18,1a. 10–14; 21,2. 6–7). Einem zweiten vorjahwistischen Stadium sollen Texte angehören, die konventionell elohistisch sind: Gen 20,1–17; 21,25–26. 28–31a. Der Jahwist, besser sein "Late Yahwist" (vgl. KILIAN 1989), habe in exilisch-nachexilischer Zeit kleinere Zusätze eingebracht, wie 12,2f., und die genannten Einheiten neu arrangiert und "episodic units" eingefügt wie 18,1b–9. 15–19,38; 21,8–24. 27. 31b–34; 22; 24; 25,1–6. 11. Auf priesterliche Bearbeitung gehen die genealogischen und chronologischen Zusätze wie 21,3–5; 25,7–10 und die "episodic units“ Gen 17 und 23 zurück. VAN SETERS versucht bei genereller Ablehnung mündlicher Traditionen nachzuweisen, daß die Ahnfraugeschichte in Gen 20 auf der Vorlage von 12,10ff. beruhe und die (spät-)jahwistische Fassung von 26,1–11, in der Isaak mit Abraham in Parallele gesetzt werde, von jenen Fassungen abhängig sei (S. 167f.; so auch WESTERMANN 1981). Durch einen Vergleich der Verträge Abimelechs mit Abraham und mit Isaak (21,22ff.; 26,26ff.) kommt VAN SETERS zu dem Schluß, daß "the whole Isaac tradition is a complex literary composition worked out entirely by J and using as his source not old oral traditions, but elements and motifs from the Abraham stories" (S. 191). Der spätjahwistischen Brautwerbung für Isaak (Gen 24) sei wahrscheinlich einmal 25,1–6 vorausgegangen (vgl. HUNTER 1986). HANS CHRISTOPH SCHMITT (1980; vgl. KAISER [5]1984, S. 92ff.) erarbeitete anhand der nichtpriesterlichen Josephsgeschichte ein in die frühkönigliche Zeit zurückgehendes redaktionsgeschichtliches Modell, indem er eine Juda-Israel-Schicht (= J) herauslöste, die von der Ruben-Jakob-Schicht (= E) bearbeitet wurde, bevor es zu einer mehrmaligen spätjahwistischen Überarbeitung kam (vgl. 1985). Gen 46,1aβ–5 und der die drei Erzväter erwähnende Segensspruch 48,15f. seien Nachträge (S. 62. 71); ähnlich DIETRICH 1989, S. 42, dessen Josephs-Novelle (Ruben!) von der Josephs-Geschichtsschreibung (Juda!) bearbeitet wurde, aber nicht mit E und J identisch ist. Bemerkenswert ist, daß auch redaktionsgeschichtliche Modelle mit Nachträgen rechnen. Ein Vorteil des redaktionsgeschichtlichen Modells gegenüber der Urkundenhypothese (mit zahlreichen Ergänzungen) ist, daß keine Redaktoren angenommen werden müssen. HANS-CHRISTOPH SCHMITT (1985) stellt (in eigener Sache) zusammenfassend fest: „Eine Überprüfung der in den 70er Jahren entwickelten neuen Modelle der Pentateuchentstehung (A: Annahme umfangreicher Redaktionen im Rahmen der Urkundenhypothese; B: Generelle Spätdatierung der Pentateuchquellen; C: Annahme weitgehender Eigenständigkeit der Traditionsblöcke des Pentateuch; D: Annahme einer sukzessiven Erweiterung ‚protojahwistischer' Stoffe durch eine elohistische, eine späte jahwistische und eine priesterliche Redaktion) anhand des Befundes der Josefsgeschichte ergibt, daß ihr nichtpriesterlicher Bestand am einfachsten durch eine ‚Redaktionshypothese' (Modell D) erklärt werden kann" (S. 178f.). DIETRICH (1989) fordert, dabei nicht den Raster der Urkundenhypothese vorauszusetzen. Allerdings nehmen sowohl HANS-CHRISTOPH SCHMITT als auch DIETRICH priesterliche Bearbeitungstexte an.

1.3 Die Abkehr von der Urkundenhypothese

Während die Entwürfe von RENDTORFF (1977) und seinem Schüler BLUM (1984) ähnlich sind, unterscheiden sich die Arbeiten von WHYBRAY (1987) und THOMPSON (1987) sowohl von ersteren als auch untereinander. RENDTORFF stellt die These auf, daß der Tetrateuch auf einst geschlossene größere Einheiten (Vätergeschichte, Auszugs- Wüsten-, Landnahme- und Sinaitradition) zurückgehe. Die Vätergeschichte entstand aus der Verbindung der Abraham-, Isaak- und Jakoberzählungen. Die Rahmung der Isaakgeschichte durch die beiden Verheißungsreden (Gen 26,2–5.24) lasse ihre einstige Selbständigkeit erkennen. Die drei Vätergeschichten seien durch Verheißungsreden miteinander verbunden worden. „In ihnen dominiert die Verheißung des Segens für andere. Sie ergeht an Abraham (Gen 12,3; 22,18), an Isaak (26,4) und an Jakob (28,14); dabei zeigen die unterschiedlichen Formulierungen, daß zunächst die Abrahamgeschichte und die Jakobgeschichte miteinander verbunden wurden (12,3; 28,14) und erst in einem späteren Stadium der Bearbeitung und Gestaltung auch die Abraham- und Isaakgeschichte (22,18; 26,4)" (S. 151). Abgesehen von einer priesterlichen Bearbeitung, die nur bis Ex 7,7 reiche, verbinde die eidliche Landzusage an die drei Patriarchen in deuteronomisch-deuteronomistischer Sprache (Gen 50,24; Ex 13,5.11; 32,13; 33,1–3a; Num 14,32; 32,11) die Vätergeschichte mit dem übrigen Pentateuch (S. 163). Nach BLUM (1984) ist die älteste Väterüberlieferung die Jakobs, die – aufbauend auf den Einzelüberlieferungen Gen 25,29ff.; 27; 28,11ff.; 31,45ff. – nicht vor der Zeit Davids, vermutlich als Programmschrift zur Zeit Jerobeams I. zur Jakob-Esau-Laban-Geschichte ausgestaltet und noch vor dem Untergang des Nordreiches mit der weitgehend einheitlichen Josephserzählung verbunden worden sei. In der Zeit zwischen dem Untergang des Nordreiches und dem Judas (597/586) sei die Jakob-Joseph-Geschichte durch die Verheißungsreden Gen 13,14ff. und 28,13 mit der Abraham-Lot-Erzählung zur ersten Vätergeschichte (= Vg1) vereinigt worden. In exilischer Zeit sei Vg2 durch die Einarbeitung von 12,6–9.10–20; 16; 21,8–22; 22 und 26 und rahmender Gottesreden (12,1–3; 26,2f.; 31,13b; 46,3f.) entstanden. In frühnachexilischer Zeit arbeitete eine deuteronomisch-deuteronomistische Redaktion Texte wie Gen 12,7; 15; 22,15–18; 22,20–24; 24; 26,3bβ–5.24 . . . 32,10–13 . . . 50,24 ein und stellte damit einen Zusammenhang innerhalb des Pentateuch her. Diesen D-Texten stehen 18,17–19.22b–32; 20; 21,22ff. nahe. Später erfolgte die priesterliche Bearbeitung. Im einzelnen sei Gen 18,1–15.16 (z. T.) als Bestandteil der vordeuteronomistischen Komposition einheitlich; der nochmalige Besuch der drei Männer sei verdrängt worden (vgl. 21,1ff.; S. 273ff.). Gen 20 setze die Ahnfrauerzählungen in 12,10ff. und 26,7ff. voraus und gehöre der D-Bearbeitung an (S. 405ff.; anders SEIDL 1989). Dagegen entstamme die Ismaelerzählung (21,8–21) wie Gen 22 (ohne V. 15–18), die beide auf Isaaks Errettung zielen, der vordeuteronomistischen Komposition (S. 311ff.). Gen 24 (auch 22,20–24) sei gegen GARCIA LOPEZ (1980) einheitlich und bilde eine Überleitung der D-Bearbeitung zur Isaakgeschichte (S. 390). Die Jakob-Esau-Erzählungen in Gen 25,21ff. und 27, deren Ursprung im Bereich der Südstämme liege, seien vorgegebene „Bausteine“ (S. 66ff.; 171ff.; 190ff.). Gen 26 sei in exilischer Zeit als ältere Überlieferung in Vg2 eingearbeitet worden (S. 462).

WHYBRAY (1987), der sich bewußt ist, daß es leichter sei “to demonstrate the inadequacies of earlier attempts to understand how such a work as the Pentateuch was composed than to construct a convincing alternative” (S. 235), lehnt die Quellenscheidung, die Ergebnisse form- und traditionsgeschichtlicher Forschung (einschließlich der RENDTORFFS und BLUMS) kritisch ab, um im kurzen Schlußteil seine Fragmentenhypothese darzubieten (S. 221–242). Der Pentateuch sei im 6. Jh. von einem “national historian” als Prolog zum Deuteronomistischen Geschichtswerk aus einer “mass of materials” durch lose Verbindungen ohne streng logischen Zusammenhang geschaffen worden. “The Pentateuch may have incorporated already existing works in their entirety without alteration, or, alternatively, earlier written works may have been excerpted, adapted, expanded, summarized, or simply used as source-material in much the same manner as modern historians (and ancient ones) have used them" (S. 236). WHYBRAYS Alternative ist eher ein Programm als ein Gegenentwurf. Ließe sie sich entfalten ohne die „logischen" Kriterien bisheriger alttestamentlicher Wissenschaft einschließlich des "new literary cirticism" und folkloristischer Studien (vgl. HENDEL 1987; KIRKPATRICK 1988)? Beachtenswert ist seine Kritik: Den Verfassern der Quellen werde eine zu strenge Konsistenz unterstellt; die quellenscheidende "scissors and paste"-Methode sei in der Antike ohne Analogie. Abwandlungen der Urkundenhypothese, die Annahme zusätzlicher Quellen und das Verständnis der Quellen als Schichten widersprächen eigentlich der "purely literary hypothesis", womit den Literarkritikern eine strenge Logik zugemutet wird! Die Ergänzungs- und Fragmentenhypothese seien vernachlässigt worden (S. 130f.). RENDTORFFS und BLUMS Arbeitsweise unterscheide sich nicht von der quellenscheidenden Literarkritik; beide hätten die neuere Urkundenhypothese durch kompliziertere ersetzt (S. 205ff.). THOMPSON (1987; vgl. 1.1) lehnt die Quellenscheidung ab; er wirft RENDTORFF u. a. vor, daß die die größeren Einheiten verbindenden Fäden "fictive creatures of the interpreter(s)" seien (S. 50). Die Vätergeschichte bestehe aus "complex-chain narratives" um Abraham, Jakob und Joseph, die kleinere oder größere "tales" enthielten. Das ganze sei durch die „Toledot" strukturiert worden. Wie sehr THOMPSON Ergebnisse bisheriger Forschung, die er verwirft, voraussetzt, zeigt sich u. a. darin, daß er den (priesterlichen) Zusammenhang Gen 26,34f.; 27,46 – 28,9 als eine Variante zu Gen 27 bezeichnet (S. 104f.). Gen 26 verbinde – als Einschub! – die Erzählketten von Abraham und Jakob. Die Toledot Isaaks enthalten die Jakobsgeschichte, die eine dreifache Eröffnung habe (Gen 25,22f. 24–28. 29–34; S. 104). Gen 22,20 – 23,20 führe zu den ursprünglich unabhängigen Isaakerzählungen in Gen 24 und 26; "editorial" seien die (priesterlichen) Texte 25,7–11 und 35,27ff., auch die Glosse 24,67b, die sich auf Saras Tod in Gen 23 beziehe (S. 99ff.).

THOMPSONS Alternative zur Urkundenhypothese erscheint nicht überzeugend (vgl. HERRMANN 1989), die von WHYBRAY ist nicht ausgeführt. Einen Gegenentwurf bieten RENDTORFF und BLUM, allerdings unter Anerkennung einer priesterlichen (Bearbeitungs-)Schicht, die wohl als Grundlage weiterer Forschung dienen sollte.

1.4 Die formgeschichtliche Frage

Hans Heinrich Schmid hat van Seters' Studie ›Der Jahwist als Historiker‹ (1987; vgl. van Seters 1983) herausgegeben, in der der Verfasser die formgeschichtliche Frage nach dem Jahwisten aufgreift und zu dem Schluß kommt, daß der späte Jahwist als Einleitung zum Deuteronomistischen Geschichtswerk (dagegen Tengström 1988) sein Werk in Analogie zu kontemporärer Historiographie als eine Ursprungsgeschichte, beginnend mit der Schöpfung, verfaßt habe. Hans Heinrich Schmid stellt im Geleitwort fest: „Könnte über van Seters' Ergebnisse Einigkeit erzielt werden, wäre für die weitere Erforschung des Pentateuch eine wesentliche Grundlage gelegt. In diesem Fall kann die weitere Pentateuchforschung auch an diesen Fragen und Beobachtungen ... nicht vorübergehen." Whybray (1987) nimmt diese These auf, bezieht aber die formgeschichtliche Frage nicht auf den (späten) Jahwisten, sondern auf den Historiker, der den Pentateuch aus einer "mass of materials" als Prolog zum Deuteronomistischen Geschichtswerk etwa im 6. Jh. geschaffen habe. "Following the canons of the historiography of his time, he radically reworks this material, probably with substantial additions of his own invention, making no attempt to produce a smooth narrative free from inconsistencies, contradictions and unevenesses. Judged by the standard of ancient historiography, his work stands out as a literary masterpiece" (S. 242). Es erhebt sich allerdings die Frage, ob der Pentateuch als Ursprungsgeschichte nur ein Prolog ist. Die Tora enthält Geschichte und Gesetz und stellt die Konstitution des Judentums dar, das Israel repräsentiert. Crüsemann (1989) fordert in seinem Beitrag ›Der Pentateuch als Tora‹ die Kräfte zu beschreiben, die den Pentateuch entstehen ließen. Aus dem schwer bestimmbaren Esragesetz (Esra 7) sei auf dem Hintergrund eines persischen Rechtsprinzips der Pentateuch entstanden, wobei Jahwe analog dem Handeln des Großkönigs zu sehen sei. In den Vätergeschichten werde „ein Bild jüdischen Lebens mit dem Gott Israels entworfen, das für die Diaspora unmittelbar relevant und anwendbar war. Und die Väter haben ja dort ihren Ursprung – Abraham kommt aus Ur Kasdim (Gen 11,28.31 u. ö.) – und immer wieder wird berichtet, daß sie dorthin wandern, um von dort ihre Frauen zu holen ... (Gen 24; 29ff.) ..." „Die Beschneidung als konstitutives Zeichen der Zugehörigkeit zum Gottesvolk erscheint in Gen 17. Weiter ist an die Einführung der Endogamieregeln zu denken (Gen 27,46 – 28,9) ..." (S. 264). Ein konstitutiver (Child: „kanonischer") Text ist m. E. ebenfalls Gen 26 (auch schon ohne die Gottesreden V. 2–5.24) insofern, als Brunnen- und Weiderechte, das Recht auf das Heiligtum von Beerscheba – ursprünglich für die Isaaksippe, schließlich für Israel – festgeschrieben ist. 26,11 verbürgt die Unverletzlichkeit des Fremdlingehepaares. Geschichte, Gesetz und Verheißung haben in Gen 26 eine fundamentale Bedeutung.

1.5 Verheißungsreden in literarkritischer Sicht

Literarkritische Forschung hat ergeben, daß Verheißungen entweder integrierender Bestandteil des Kontextes sind wie in Gen 15; 17; 18 oder Erweiterungen darstellen wie Gen 22,15–18 (anders COATS 1973; VAN SETERS 1975; FOKKELMAN 1975; ALEXANDER 1983). In beiden Fällen können Zusätze wie Gen 26,3b–5 (bzw. 3bβ–5) hinzugekommen sein. Nach FOHRER (1986) sind die Verheißungen in 26,1–3a. 24 jahwistisch, in V. 3b–5 elohistisch; BERGE (1990) hält 26,1–3a im Gegensatz zu 12,1ff. für nachjahwistisch. LUTZ (1969) schält einen jahwistischen Kern heraus: "Sojourn in this land, and I will be with thee and bless thee"; V. 23–25a sei jahwistisch. SCHARBERT, der die Landverheißung in Gen 13,14f. für „Urgestein" hält (1985), löst als vom Jahwisten erweiterten Kern heraus: „Ich will mit dir sein und dich segnen; denn dir und deinen Nachkommen gebe ich alle diese Länder" (= „diese ganze Gegend"; 1986, S. 186); LUDWIG SCHMIDT (1977) und SEEBASS (1983) sehen einen jahwistischen Kern in 26,2a. 3a bzw. 26,2. EMERTON (1982), der wie die beiden zuletzt genannten Forscher die Quellenscheidung verteidigt (1987/8), hält nur die (jahwistischen) Verheißungen des Sohnes in Gen 16,11; 18,10. 14 und des Landes in 12,7 und 28,13. 15 für ursprünglich; alle anderen Verheißungen, also auch die in Gen 26, seien in der Zeit Josias (oder auch später) eingefügt worden. Nach LUX (1977) habe ein erster Redaktor die ursprünglich selbständigen Erzählungen von der Gefährdung Rebekkas, vom Streit Isaaks mit den Philistern und vom Vertrag mit Abimelech durch die Offenbarungsrede 26,2a[a]. 3a als Überschrift miteinander verbunden; ein zweiter Redaktor habe u. a. durch die Einfügung von V. 2aβb und 24–25a die Komposition auf den Abrahamsagenkranz bezogen; ein dritter Redaktor habe durch den Nachtrag von 26,3b–5 in die jahwistische Isaakgeschichte den Bezug zu Abraham noch verstärkt (S. 59f.). Wie WESTERMANN sind u. a. HANS HEINRICH SCHMID (1976), RENDTORFF (1977), SUTHERLAND (1983), BLUM (1984), SPRINGER (1984), KÖCKERT (1979; 1988), MÜLLER (1989) der Ansicht, daß die Verheißungen mit Ausnahme derer in Gen 15; 17; 18 Einschübe darstellen. WESTERMANN

(1981) sieht in 26,2b.3b–5 eine Erweiterung der bereits eingeschobenen Verheißung (V. 3a), „die der Spätgeschichte der Väterverheißungen angehört“ (S. 516; früher sei die Verheißung in V. 24). Es bleibt abzuwarten, ob Berges (1990) Zuweisung der Verheißungen zum jahwistischen Kontext in Gen 12 und der Verheißungsrede 26,2–3a zum nachjahwistischen (und nachelohistischen) Kontext überzeugt.

Sind die Jahwereden eingeschoben, so ist bemerkenswert, daß die Verheißung des Mitseins und des Segens (26,3aβ) in der Erzählung (als Erfüllung: V. 12.28f.) eine Entsprechung hat. Die Weisungen „wohne in dem Land, das ich dir sagen werde“ und „weile in diesem Land als Fremdling“ (V. 2b und 3a^{a}) beziehen sich m. E. auf Beerscheba (V. 23ff.) und auf Gerar (V. 6ff.). Die umstrittene Bedeutung der Gabe von „allen diesen Ländern“ an Isaak und seine Nachkommen (V. 3b^{a}, aufgenommen in V. 4) betrifft infolgedessen das ursprüngliche Philisterland um Gerar (auch Rechobot?) und um Beerscheba. Somit sind die Weisungen und Verheißungen in V. 2–3b^{a} auf die Erzählsubstanz bezogen. Die Verheißungen in V. 3bβ–5a.24 stellen wie weitere Nennungen Abrahams (in V. 1.15.18) die Verbindung zu dem Vater Isaaks her, um dessen Gehorsams willen (vgl. 22,15–18) die Verheißungen an Isaak und seine Nachkommen ergehen. V. 5b weist als Nachtrag (vgl. 18,17–19) auf Abrahams Gesetzesgehorsam hin, den er durch die Bereitschaft, seinen Sohn zu opfern (Gen 22,1–19), implicite vorweggenommen hat.

Aufgaben weiterer Forschung wären, zu untersuchen, warum – außer in der Mosegeschichte – nur in der Vätergeschichte Verheißungen ergehen, die nicht wie ein Orakel erbeten sind (vgl. Gen 25,22f.), also wie prophetische Offenbarungen erfolgen, aber nicht wie diese einen Verkündigungsauftrag enthalten. Dies geht freilich über Literarkritik hinaus.

2. ÜBERLIEFERUNGSGESCHICHTLICHE FORSCHUNG

Wie bei aller Anerkennung der Bedeutung der „Letztgestalt" eines Textes literarische Uneinheitlichkeit eine diachrone Literarkritik erfordert und ermöglicht, so machen – oft im Gefolge letzterer – inhaltliche Unausgeglichenheiten, Doppelüberlieferungen, die Frage nach den Trägern bestimmter Traditionen usw. eine überlieferungsgeschichtliche Forschung notwendig, auch wenn die Annahme vorausgehenden mündlichen (rekreativen) Überlieferns hypothetisch ist, wie folkloristische Forschung zeigt (vgl. HENDEL 1987; KIRKPATRICK 1988; gegen Überlieferungskritik wenden sich u. a. VAN SETERS 1975, S. 237 und THOMPSON 1987, S. 198). Geht die überlieferungsgeschichtliche Forschung vom Text aus in die Vergangenheit, so die wirkungsgeschichtliche in die Zukunft (vgl. 4.3).

2.1 Name und Herkunft Isaaks

Während die Namen (nicht Personen!) Abraham (vgl. MARTIN-ACHARD 1977), Jakob (ZOBEL 1987), auch Israel (ALBERTZ 1987) außerbiblisch belegt sind, fehlt bislang für Isaak ein derartiger Nachweis. Der Name jiṣḥaq (in Jer 33,26; Am 7,9.16; Ps 105,9 mit śin statt mit dem üblichen ṣade geschrieben; auch das Verbum für „lachen", „lächeln", „scherzen" kommt mit śin vor) ist wohl in Analogie zu jišm'a-el („Gott er/hört") ein Apokoristikon des theophoren Namens jiṣḥaq-el = „Gott lacht/lächelt zu". STAMM (1950) bemerkt dazu: „Von diesem Ursprung hebt sich deutlich die Art ab, mit der das Alte Testament den Namen erklärt. Nichts Mythologisches ist mehr erhalten. Das Lächeln der Gottheit ist zum Lachen von Menschen geworden, die kleinmütig, ungläubig (Gen 17,17; 18,12–15; 21,6b) oder voll Dankbarkeit (21,6a) vor einem Wunder des Herrn stehen" (S. 37). Anspielungen auf den Namen enthält das Scherzen des älteren Ismael mit dem gerade entwöhnten Isaak oder das Kosen Isaaks mit Rebekka (m^eṣaḥeq in Gen 21,9 und 26,8; vgl. zum Namen ALBERTZ 1987, S. 292).

Die Herkunft Isaaks ist problematisch, weil er einerseits im Negev lebt (in Beerlachairoi: Gen 24,60; 25,11; in Beerscheba: 26,23 ff.; Fremdlingschaft und Bestattung in Mamre nach P: 35,27–29), andererseits in Am 7,9.16 die Höhen Isaaks bzw. das Haus Isaaks mit den Heiligtümern Israels bzw. mit Israel (= Nordreich) in Parallele gesetzt werden. VAN SELMS (1964/5) ist der Ansicht, zumal der „Schreck Isaaks" in Gilead belegt ist (Gen 31,42. 53), Isaak meine in Am 7,9.16 das Ostjordanland, wie Israel das westjordanische Nordreich. Nach SCHUNCK (1963) ist Ephraim aus Isaaksippen, die aus Ägypten kamen, hervorgegangen; ein Teil der Isaaksippen blieb in Beerscheba (S. 15ff.; nach JEPSEN 1953/4 ging der Joseph-Stamm aus Isaaksippen hervor). WOLFF (1969), der Am 7,9.10ff. auf die Amos-Schule zurückführt, denkt bei den „Höhen Isaaks" an das Umland von Bethel; der Spruch habe Beerscheba-Wallfahrer vor Augen, „die Isaak als heros eponymus beanspruchten" (S. 348); RUDOLPH (1971) plädiert für die Ursprünglichkeit von Am 7,9 und stellt fest, daß es nicht befriedigend erklärt sei, warum Isaak in Parallele zu Israel stehe (S. 237). M. E. ist zu beachten, daß die Isaak-Überlieferung zuerst mit der Jakobs und Israels verbunden wurde (vgl. ZIMMERLI 1932, NOTH 1948, S. 114; JEPSEN 1953/4). So wurde das Grab Deboras, der Amme von Isaaks Frau Rebekka, bei Bethel in die Jakobtradition einbezogen (Gen 35,8). Die Aramäerin Rebekka, auch der „Schreck Isaaks" in Gilead (Gen 31,42.53) passen besser zu einem in/bei Bethel beheimateten Isaak als zu einem im Negev lebenden. Derartige Erwägungen machen es wahrscheinlich, daß Isaaks Urheimat in/bei Bethel war (vgl. Am 7,9.16; wahrscheinlich ist m. E. auch, daß der „Gott Isaaks" in Gen 28,13 ursprünglich ist und das nicht passende „der Gott Abrahams, deines Vaters" eine Hinzufügung darstellt). Wie nach SEEBASS (1966) Jakob die in Sichem beheimatete Israeltradition rezipiert hat (vgl. Gen 33,18ff.), so hat diese Gestalt die in/ bei Bethel beheimatete Isaaktradition aufgenommen. Ursprünglich dürften Isaak und Israel als Vater und Sohn in Beziehung getreten sein (vgl. Am 7,9.16). Freilich erhebt sich die Frage, wie Isaak in den Negev gelangte. Die Antwort bei Israel/Jakob wäre klar: durch die Hungersnot (vgl. Gen 46,1ff.). Gen 26,1 – der ursprüngliche Aufenthaltsort Isaaks ist nicht genannt – legt eine Auswanderung in Richtung Ägypten nahe, die aber durch das Verbot „zieh nicht nach Ägypten hinab!" (26,2a) vereitelt wurde. Isaak wäre dann – in einer gewissen Analogie zur Schunemiterin (2Kön 8,1–3) – in das von der Dürre weniger betroffene Land der Philister gezogen.

ZIMMERLI (1932; 1980) sah in den Simeoniten, denen Beerscheba gehörte, wo Isaak weilte, Träger der Gestalt Isaaks. LUX (1977, S. 80f.) nimmt auf Grund von Gen 34 an, daß die Stämme Simeon und Levi nach einem mißlungenen Landnahmeversuch in Mittelpalästina in den

Negev wanderten; ob sie die Isaaktradition mitbrachten – was m. E. wahrscheinlich ist (vgl. KYLE MCCARTER 1988) – oder dort kennenlernten, ließe sich nicht mehr ausmachen. AXELSSON (1987) ist letzterer Ansicht: Isaak sei Ahnherr der Simeoniten, die in Juda aufgingen. "... 2Chron 15,9; 34,6, and presumably Gen 34 and 49,5ff. plus Ezek 48,24ff. suggest that Simeonites were widely dispersed in the north. For this reason it is likely that it was they who bore the memory of Isaac and the cult of his god to the northern kingdom" (S. 93). AXELSSON hält es auch für möglich, daß die Gestalt Isaaks von Leviten getragen wurde; nach SCHULZ (1987, S. 22ff.) hätten diese die Simeoniten militärisch aktiviert. Simeoniten als Träger der Isaak-Überlieferung setzt auch BLUM (1984, S. 306f.) voraus, wenn er die in der Zeit Hiskias Weideland suchenden Simeoniten mit Gen 26 in Beziehung bringt. Statt „Gedor" sei in 1Chron 4,39f. mit der Septuaginta „Gerar" zu lesen; ob „das weite Land" eine Anspielung auf Rechobot (Gen 26,22) darstellt, das nicht mit dem tell er-ruḥebe = Rehovot-in-the-Negev (vgl. TSAFRIR/PATRICH/ROSENTHAL-HEGINBOTTOM 1988) identisch ist? Die Hamiten in 1Chron 4,40 sind m. E. eine altertümliche Bezeichnung für die nach Gen 10,14 „hamitischen" (?) Philister. Nach AUGUSTIN (›The Role of Simeon in the Books of Chronicles‹ [1990]) sind diese Angaben in 1Chron 4,39ff. eine Konstruktion: "... the Chronicler is mediating the hope that one day this territory ... can not only be regained for the Jerusalem and Judaean community, but in analogy to the reports of conquest expanded to the west and south" (S. 5). M. AUGUSTIN (›Die Simeoniten‹ [1989]) kommt überhaupt zu dem Schluß, „daß Simeon im historischen Sinne nie ein Stamm war, sondern Resultat einer theologischen Konzeption der neuen politisch-administrativen und kultischen Eigenständigkeit Südjudas im Beerscheba-Becken zur Zeit des frühen Königtums" (S. 388). „Der wichtigste theologische Aspekt ist wohl die Übertragung der Isaak-Tradition, die ursprünglich beim Brunnen von Lahai-Roi (Gen 24,62; 25,11) beheimatet ist, auf Beerscheba. Dies aber steht in keiner Verbindung mit Simeon, es sei denn, man konstruiert diese" (S. 382). Zweifellos ist die Annahme, daß Simeoniten die Träger der Gestalt Isaaks (oder sogar Nachkommen Isaaks) seien, eine Konstruktion. Dennoch ist zu prüfen, ob Simeon nach Ruben (vgl. CROSS 1988) Repräsentant eines sehr alten, zum großen Teil in Juda aufgegangenen Stammes ist und sich dieser Vorgang in der Abnahme der Bedeutung der Isaak-Überlieferung und der Zunahme der Bedeutung der judäischen Abraham-Überlieferung widerspiegelt (vgl. LUTZ 1969, bes. S. 247ff.). Abgesehen von der sehr hypothetischen Verbindung Isaaks mit Sippen des Stammes

Simeon, geht m. E. aus Am 7,9.16; Gen 28,13; 31,42.53; 35,8 und aus allgemeinen überlieferungsgeschichtlichen Erwägungen über die Priorität der Isaak-Überlieferung vor der Abrahams (so schon WELLHAUSEN [3]1899, Fußnote S. 317f.) und ihrer Verbindung mit der Israel/Jakob-Überlieferung hervor, daß Isaak ursprünglich (vor einer Hungersnot) in/um Bethel beheimatet war, bevor er in den Negev und ins Philisterland (Gerar; Rechobot) abwanderte. Wie das Beispiel von Dan zeigt (Ri 18; siehe NIEMANN 1985), ist mit einer großen Mobilität von Sippen zu rechnen, auch mit Abspaltungen von Stämmen und Wanderungen in unterschiedliche Richtungen (vgl. 1Chron 4,39ff.).

2.2 Isaaks Verhältnis zu Israel/Jakob und zu Esau/Edom

Es wurde bereits in 2.1 dargelegt, daß nach ZIMMERLI (1932); JEPSEN (1953/4); NOTH (1948, S. 113f.) u. a. die überlieferungsgeschichtliche Verbindung Isaaks, der ursprünglich bei Bethel beheimatet war, zunächst mit Israel (vgl. SEEBASS 1966; DE PURY 1975, S. 538ff.) ursprünglicher ist als die mit Abraham. Bei Jakobs Traum in Bethel (Gen 28,10ff.) gehören V. 13–16(19) J oder einer jahwesierenden Bearbeitung an (wie m. E. auch das Gelübde V. 20–22). Die Selbstvorstellung Jahwes als „Gott Abrahams, deines Vaters, und der Gott Isaaks" (V. 13a) paßt gegenüber Jakob nicht, da Isaak sein Vater ist. Möglicherweise ist der „Gott Abrahams, deines Vaters" eine Hinzufügung, die diese Theophanie mit Abraham verbindet; doch WESTERMANN (1981, S. 554) hält V. 13f. ohnehin für eine sekundäre Erweiterung wie auch „der Gott Abrahams und der Schreck (Schutz?) Isaaks" in 31,42 (S. 606. 610; s. u. 5.1) beim Vertrag Jakobs mit Laban in Gilead. Die Rezeption einer Isaak-Überlieferung in die Jakob-Tradition wird in Gen 35,8 besonders deutlich. WESTERMANN (1981) bemerkt: „V. 8 ist schwierig, weil er keinen Zusammenhang mit dem Kontext erkennen läßt und weil die Amme Rebekkas im Zuge Jakobs unverständlich ist" (S. 672). Es handelt sich um eine Lokaltradition eines Deboragrabes unter der Träneneiche unterhalb von Bethel, die zur Isaak-Überlieferung gehört (vgl. 24,59) und en passant in die Jakoberzählung aufgenommen wurde. Die Jakob-Überlieferung überlagerte die Israel- und die mit ihr bereits verbundene (vgl. ALT ›Die Wallfahrt von Sichem nach Bethel‹ [1938]) Isaak-Tradition. Es ist zwar nur eine Vermutung, doch spricht manches dafür, wie das höhere Alter der Leastämme (Ruben, Simeon, Levi, Juda, Issaschar, Sebulon), daß Lea die Frau Israels und Rahel, die Mutter von Joseph und Benjamin, die Frau Jakobs war.

Galt Isaak als Israels Vater, so war seine Gestalt den Lea-Stämmen bekannt. Israel ist in Sichem beheimatet, die Herkunft Jakobs ist umstritten. Während NOTH (1948, S. 86ff.) den westjordanischen Jakob mit den Haftpunkten Sichem und – lockerer – Bethel für ursprünglicher als den ostjordanischen hält, ist JEPSEN (1953/4) – wohl mit Recht – umgekehrter Meinung. Bei dem Vertrag Jakobs mit dem Aramäer Laban (Gen 31,44ff.) habe J eine stammes- oder territorialgeschichtliche Tradition ins Familiengeschichtliche umgebogen (S. 280). Ob „der Gott meines Vaters" und „der Schreck/Schutz/Lende seines Vaters Isaak" (vgl. 5.1) nicht doch für eine Familien- oder Sippentradition sprechen?

Nach NOTH (1948, S. 103ff.) sind die Zwillingsbrüder Esau und Jakob, die den Jäger und den Kleinviehhirten verkörpern, überlieferungsgeschichtlich eng verbunden; in Südjudäa habe man den ostjordanischen Esau mit dem auf dem Gebirge Seir wohnenden Edom gleichgesetzt. BARTLETT (1969; 1977) weist nach, daß Esau zuerst mit Seir (als Region westlich der Araba gelegen) und dann mit Edom verbunden wurde. Nach WEIPPERT (1982) lag Seir auf beiden Seiten der Araba; die Söhne Esaus ließen sich im östlichen Teil gegen Ende des 2. Jt. nieder, die wegen des dortigen roten (nubischen) Sandsteins Edomiter (Edom = rotes Land) genannt wurden. WEIPPERT vermutet den Ursprung der Bruderschaft im Jakob-Esau-Zyklus (Gen 25,19ff.; 27,1–45; 32,4–21; 33,1–16) in einer gemeinsamen Vorgeschichte von Gruppen, die in Edom bzw. Israel aufgegangen seien. Kaum beachtet wird, daß das Gebiet des ostjordanischen Israel von Edom durch die Länder der Ammoniter und Moabiter getrennt war, die als Lotsöhne nicht in der Jakob-Überlieferung, sondern in der Abraham-Lot-Geschichte vorkommen. Setzt die Trennung Esaus, der nach Seir ging (Gen 33,16), eine Überlieferung vor der Entstehung von Ammon und Moab voraus? Gen 27,40b (WESTERMANN 1981: „Aber es wird geschehen, wenn du [= Esau] dich losreißt, wirst du sein Joch von deinem Hals reißen") setzt den Sieg Davids über Edom und dessen Abfall von Juda z. Z. Jorams (2Kön 8,20ff.) voraus; doch ist dieser Halbvers nach WESTERMANN, S. 540; BLUM 1984, S. 192ff. (anders SCHARBERT 1986, S. 193) eine Glosse. BLUM (S. 203) sieht in der ursprünglichen Jakoberzählung eine „Programmschrift" aus der Zeit Jerobeams I. zur Konsolidierung des Nordreiches. Hos 12,3–14 – nach GESE (1986) und NEEF (1987) ein einheitlicher Text, in dem Jakob positiv gesehen werde (dagegen UTZSCHNEIDER 1988; vgl. 1980) – spiegelt (rekreative) Jakob-(Esau-)Erzählungen in der 2. Hälfte des 8. Jh. im Nordreich wider. Für Isaak ist Am 7,9.16 ein Beleg aus diesem Jahrhundert, während es für Abraham keine (sicheren) Belege aus vorexilischer Zeit (mit Ausnahme von Ps 47? Doch siehe ZENGER 1989) außerhalb des Pentateuch gibt.

DE PURY (1975; vgl. 1989, S. 259ff.) sieht in der Jakob-Esau-Laban-Erzählung, die im Anschluß an SEEBASS (1966) Elemente eines Israel-Zyklus aufgenommen hat (dagegen OTTO 1979, S. 73 und ZOBEL 1982 und 1987), einen originären Zyklus, der den um Bethel ansässigen Jakobleuten bei den Jahresfesten verkündet wurde. Dagegen ist OTTO der Ansicht, daß dieser Zyklus eine Komposition aus Einzelüberlieferungen darstellt: so sei Gen 25,29ff. älter als die vorangestellte Geburtsgeschichte; die Betrugsgeschichte in 27,1–45 setze den Gesamtzusammenhang voraus, sei also später (S. 34f.). Auf einer dritten vorquellenschriftlichen Überlieferungsstufe sei die Jakob-Laban-Überlieferung aufgenommen worden, zu deren ursprünglichen Bestandteilen der Gileadvertrag zähle (Gen 31,46.48.51–53a; S. 66). Diese Überlieferung, wie die von Pnuel (32,25b–33); Bethel (28,11–19a; 35,1–7.14) und Sichem (33,18–20) spiegelt die Seßhaftwerdung der Leastämme im Zusammenhang mit der aramäischen Wanderung (zu „Aramäer" vgl. LIPINSKI 1989 in NBL) in Mittelpalästina wider, die den Israelnamen vom sichemitischen Heiligtum des „El Elohe Jisrael" übernahmen; Simeon und Ruben ließen sich nahe am Jordan nieder. Als Folge des Palästinafeldzugs des Pharao Merenpta (vgl. ENGEL 1979) sei dieses Israel zerschlagen und Simeon nach Süden zerstreut worden. In dieses Vakuum sei die Auszugsgruppe eingewandert, die sich als Rahelgruppe konstituierte. Im Anschluß an SEEBASS (1966) und auf Grund eigener Beobachtungen (vgl. Gen 35,8) ist es wahrscheinlicher, daß die Jakob-Rahel-Gruppe (mit den Mose-Überlieferungen; vgl. WERNER H. SCHMIDT 1983 und HERBERT SCHMID 1986) Israel-Traditionen in Sichem und bereits damit verbundene Isaak-Traditionen um Bethel rezipiert hat. Durch die Gleichsetzung Jakobs mit Israel wurde der Vater Israels, Isaak, zum Vater von Jakob und Esau.

Zur Isaak-Überlieferung sagt NOTH (1948) treffend, daß diese einerseits zugunsten der Abraham-Tradition verkümmert sei, andererseits mache Gen 26 „in der überlieferten Form nicht den Eindruck von etwas Ursprünglichem und organisch Gewachsenem" (S. 214; vgl. ALBERTZ 1987). J habe kompendiumartig zusammengefaßt, was die erzählende Überlieferung von Isaak zu sagen wußte; im ganzen machten die Isaakgeschichten einen urtümlicheren Eindruck als die westjordanischen Jakob-Erzählungen. Der eigentliche lokale Haftpunkt, der vielleicht der literarischen Bearbeitung von Gen 26 zum Opfer fiel, sei nicht leicht zu ermitteln. Nach den Notizen Gen 24,62a und 25,11b, die nicht zum ursprünglichen Erzählbestand gehören, wohnte Isaak –

wie Ismael (vgl. Gen 16) – in Beerlachairoi, wo die lokale Gottheit El Roi von den zu (Halb-)Brüdern gewordenen Ismael und Isaak verehrt worden sei (S. 119). Nach JEPSEN (1953/4) sei die „Polis Isaak" (so Eusebius, Onomastikon 168,2) die Heimat Isaaks, Abraham sei nur um Isaaks willen von Mamre in den Negev versetzt worden (S. 270). Gen 26,7–11.19–22.26–33 sei alter Traditionsstoff; das übrige sei „wohl von J um des Zusammenhangs willen eingefügt" (S. 280). DE PURY (1975; vgl. 1989, S. 259ff.) hält den „Isaak-Zyklus" für ein «ensemble fragmentaire et composite» (S. 201). Gen 26,2b.3a.24; 46,3f. könne auf Heilsorakel in einem ursprünglich umfangreicheren Isaak-Zyklus zurückgehen. Die Annahme, daß die Isaak-Sippe einen Zug ihres Ahnherrn nach Ägypten und zurück nach Beerscheba gekannt hätte, ist sehr hypothetisch (S. 194; zurückhaltender 1989, S. 262; vgl. SCHUNCK 1963, S. 85). Zu erwägen wäre m. E., ob die Komposition von Gen 26 auf Priester am Heiligtum von Beerscheba zurückgeht, wie nach DE PURY der Jakob-Zyklus seinen Sitz im Leben im Kult von Bethel hatte. Die Wallfahrten von Bewohnern des Hauses Isaak = Israel (Am 7,9.16) nach Beerscheba (Am 5,5; 8,14; Hos 4,15; vgl. 1Sam 8,1ff. 1Kön 19,1ff.) könnten darauf gründen; vielleicht auch ein Anspruch des Nordreiches auf das Land von „Dan bis Beerscheba" (vgl. Ri 20,1; 1Sam 3,20).

2.3 Isaaks Verhältnis zu Ismael

Das Verhältnis des Sohnes der Sara, Isaak, zu Ismael, Hagars Sohn, ist nicht so eng wie das der Zwillinge Esau und Jakob. Die Zuordnung der beiden als Halbbrüder beruht nach NOTH (1948, S. 118) darauf, daß sie in Beerlachairoi wohnten (Gen 16; 24,62; 25,11) und El Roi verehrten, was jedoch von Isaak nicht berichtet wird. Da in Juda Abraham den Vätergestalten Isaak-Israel/Jakob vor- und übergeordnet wurde, sei der Halbbruder Isaaks, Ismael, zum Abrahamsohn geworden (S. 118). AXELSSON (1987) vertritt weitgehend diese Sicht NOTHS: Nachdem Isaak zum Sohn Abrahams wurde, sei die Ismael-Tradition (Gen 16 J; 21,9ff. E; JE im 7.Jh. vereinigt) aufgenommen worden (S. 100f.). El Roi sei eine ursprünglich ismaelitische Gottheit, vielleicht mit Beziehungen zum „Jahwe (er)sieht" (Gen 22,14; S. 88ff.). KREUZER (1983, S. 294ff.) vermutet in „Lahai Roi" (= „dem Lebendigen, der mich sieht") eine Akklamation des El Roi, der an der Quelle richtete (vgl. HERBERT SCHMID 1976). KNAUF (1985) hält Gen 16 nicht für jahwistisch, sondern für eine Ergänzung; 21,8–21 sei eine daraus entwickelte „späte Ergänzung zum bereits in seiner priesterschriftlichen Ausgestaltung vorliegenden Pentateuch“ (S. 18). Der Brunnen des „Lebendig-Sehens“ trage vielleicht einen altarabischen Personen- oder Sippennamen; einen Gott El Roi habe es jedoch nie gegeben (S. 45ff.). „Was sich hinter der Filiation Hagar-Ismael genau verbirgt, wissen wir so wenig wie der biblische Schriftsteller, der aus ihr eine ägyptische Sklavin machte“ (S. 55). Ismael sei kein alter Nomadenstamm gewesen, sondern eine nordarabische protobeduinische Konföderation, identisch mit den auf assyrischen Inschriften des 7. Jh. bezeugten Sumu'il (S. 45). Auch Köckert (1988; S. 76f.) sieht in El Roi eine künstliche Bildung, da der Brunnenname kein theophores Element enthält; El Roi verbinde Beerlachairoi mit der Hagar-Erzählung.

In den späten priesterlichen Texten werden die Abrahamsöhne Isaak und Ismael eng einander zugeordnet; P kennt keine Vertreibung Ismaels: Isaak und Ismael bestatten gemeinsam ihren Vater (Gen 17; 25,7–10; Abwanderung der Ismaeliten in 25,18 P?). Die Flucht der schwangeren Hagar (Gen 16), ihre gewaltsame Vertreibung mit ihrem Sohn (21,8ff.), auch die Vertreibung der Keturasöhne um Isaaks willen (25,1–6) sprechen m. E. für eine jeweilige starke Bindung an Abraham. Noth (1948, S. 126) meint, Isaak ersetze in Gen 22 einen anderen Abrahamsohn (nach dem Koran, Sure 37 wäre es Ismael gewesen! Vgl. Herbert Schmid 1976). Es ist unwahrscheinlich, daß Ismael und die Keturasöhne Abraham zugeordnet wurden, um dann vertrieben zu werden. Es sind vielmehr alte Traditionen von Sippen und Stämmen vorauszusetzen, die sich auf den Vater Abraham zurückführten, die aber um Isaaks willen zurückgedrängt wurden. Aus Abraham und Sara, der Mutter Isaaks (sie wird außerhalb des Pentateuch nur in Jes 51,2 erwähnt), ging das Volk Israel hervor (vgl. 4.1 und 2).

2.4 Isaaks Verhältnis zu Abraham

Nur wenige Forscher halten die Isaak-Überlieferung von der Abrahams literarisch (van Seters 1975, S. 227ff.; vgl. Fohrer [10]1965, S. 139; Garbini 1988, S. 80; Berge 1990) oder überlieferungsgeschichtlich für abhängig. De Vaux (1971, S. 163; engl. 1978, S. 167f.) bezweifelt die Existenz eines ursprünglichen Isaak-Zyklus; vielmehr wurde versucht, die Gestalt Isaaks mit Abraham-Traditionen zu bereichern und die Verbindung zwischen Abraham und Jakob zu verstärken (vgl. Thompson 1987). Nach Noth (1948, S. 123) seien Abraham und Isaak im Negev beheimatet. Die Abrahamleute hätten im Gebiet von

Gerar und Beerscheba die Isaakleute überwandert und ihre Überlieferungen aufgenommen. AXELSSON (1987; vgl. CAZELLES 1989) ist mit einigen Vorbehalten der Meinung, daß die ältesten Traditionen Abraham im Negev lokalisieren; seine Tradition wurde aber auch von Kalibbitern, die in Juda aufgingen, gepflegt und nach Mamre bei Hebron übertragen (S. 89f.). Nach JEPSEN (1953/4), MARTIN-ACHARD (1976), CLEMENTS (1973) ist Abraham in Mamre beheimatet, nur um Isaaks willen – so JEPSEN – sei er in den Negev versetzt worden, wobei m. E. zu beachten wäre, daß nicht wie bei Ismael und Isaak ein Aufenthalt in Beerlachairoi verzeichnet wird. KYLE MCCARTER (1988) lokalisiert Abraham (und Isaak) im zentralen Bergland. Wie NOTH u. a. erkannte schon WELLHAUSEN ([3]1899) die Priorität der Isaak-Überlieferung in einer Fußnote: Es bestehe im Alten Testament die Tendenz, „Abraham zum Erzvater par excellence zu machen und die anderen zu verdunkeln. In der älteren Literatur dagegen kommt Isaak schon bei Amos, Abraham aber zuerst Isa. 40–66 vor; Micha 7,20 ist nachexilisch und in Isa. 29,23 sind die Worte ‚der Abraham erlöste' unecht . . . Es fällt mir übrigens nicht ein zu behaupten, daß zur Zeit des Amos Abraham noch unbekannt gewesen wäre; nur stand er schwerlich schon mit Isaak und Jakob auf gleicher Stufe. Als Heiliger von Hebron könnte er kalibbäischen Ursprungs sein . . ." (S. 317f.). LUTZ (1969) versucht die einstige Bedeutung Isaaks herauszuarbeiten und zieht eine "Tentative Conclusion about the Eclipse of Isaac" (S. 247ff.). Der Unterordnung Isaaks unter seinen Vater dienen m. E. alle Erwähnungen Abrahams in Gen 26. Diese Unterordnung verrät die einstige Eigenständigkeit der Isaak-Überlieferung, auch wenn Gen 26 eine redaktionelle Komposition ist (vgl. NOTH 1948, S. 114). Bedenkenswert ist, daß die Abschnitte, die eindeutige Analogien in der Abraham-Überlieferung haben (Ahnfrauerzählung; Vertrag mit Abimelech) keine expliziten Bezüge zu Abraham aufweisen, dagegen das „Sondergut" in 26,12–22, wobei die V. 15 und 18 mit BLUM (1984, S. 301f.) gegen RENDTORFF (1977, S. 32ff.) keine eigenständigen Brunnennotizen darstellen. Sucht man „historische" Spuren Isaaks oder der Isaaksippe, so sind sie am ehesten in diesem „Sondergut" zu finden. Der unmotivierte Hinaufzug nach Beerscheba (26,23.25b.32–33) – JEPSEN (1953/4) denkt an einen Weidewechsel im Rahmen der Transhumanz – weist in diesen Versen keinen Bezug auf Abraham auf, trotz der Parallele in 21,22ff. (V. 33 ist singulär), in der die Variante von den 7 Lämmern (V. 25–26. 28–30 . . .) eindeutig den Vertrag mit Abimelech bei einem Brunnen von Beerscheba lokalisiert. Beerscheba gehörte nie zum Machtbereich Abimelechs von Gerar. Der Vertrag in 26,26–31 ist in sich nicht örtlich fixiert. Ob er ursprünglich bei Rechobot geschlossen wurde? Dieser Brunnen lag im Einflußbereich von Gerar, denn die Hirten Gerars hätten um den Isaakbrunnen streiten können. Möglicherweise erhoben sowohl Abraham- wie Isaakleute durch die Erzählungen in 21,22ff. und 26,23ff., schließlich Juda und vielleicht Simeon (vgl. Jos 19,2; 1Chron 4,28) durch ihre Ahnväter Anspruch auf die spätere Stadt Beerscheba und ihr Umland. Wurde Abraham um Isaaks willen in den Negev versetzt (Jepsen 1953/4) – was in Anbetracht dessen, daß sich Abraham nicht an den Isaak-Stätten Beerlachairoi und Rechobot aufhielt, zweifelhaft ist –, so ist Isaak zweifellos nach P um des von Abraham gekauften Familiengrabes willen als Fremdling nach Mamre bei Hebron mehr literarisch als überlieferungsgeschichtlich transferiert worden (Gen 35,27–29); sogar seine Frau Rebekka wurde dort bestattet (49,31 P). Im Gegensatz zu dem aus Gen 50,10f. zu folgernden Grab Jakobs bei Goren ha-Atad/Abel Mizraim und dem Rahelgrab in Benjamin (Gen 35,16ff.; 1Sam 10,2; Jer 31,15; vielleicht auch einem Israelgrab bei Sichem? vgl. Gen 33,18ff.; 47,30; 50,5) ist (sind) die authentische(n) Grabstätte(n) Isaaks und Rebekkas nicht bekannt. Nur das Grab Deboras, der Amme Rebekkas, unterhalb von Bethel (Gen 35,8) wurde im Rahmen der Jakob-Tradition überliefert. Wurde Isaak deswegen so stark Abraham untergeordnet, weil er ursprünglich eine Gestalt aus dem Territorium des späteren Nordreiches war, die sich im Süden, geschichtlich wohl in Rechobot und überlieferungsgeschichtlich oder sogar geschichtlich in Beerscheba aufhielt, das jüdäisch wurde (Jos 15,28)?

2.5 Die Philister in Gen 26

Der König von Gerar (vgl. Gen 20,1), der den semitischen Namen Abimelech (= Vater/gott/ ist König) trägt, wird in Gen 26 als König der Philister bezeichnet; wohl sekundär heißt es in 21,32 (vgl. V. 34), daß er nach dem Vertrag mit Abraham ins Land der Philister, d. h. von Beerscheba nach Gerar, zurückkehrte. Die meisten Kommentatoren sehen in den Philistern z. Z. Isaaks (bzw. Abrahams) einen Anachronismus, weil die Philister erst nach 1200 in die Küstenebene eindrangen und die Erzväter früher zu datieren seien (vgl. Westermanns Tabelle 1975, S. 73; 1981, S. 427). Ein kanaanäischer König von Gerar (Gen 20) würde besser passen. Stand Abimelech als Kanaanäer im Dienst der Philister wie später David? Mazar (1969) sieht in den Erzählungen über Isaak (bzw. Abraham) und Abimelech, dem König der Philister, "transparent allusions to the relations between the Judaeans and their sub-groups in the Negev and the Philistine kingdom during the last quarter of the eleventh century" (S. 78). Blum (1984, S. 306f.) setzt mit Vorbehalten Gen 26 in Beziehung zu 1Chron 4,39f. (lies „Gerar" statt „Gedor"). Diese Expansion der Simeoniten (anders Augustin 1990), die er als Träger der Isaak-Überlieferung versteht (vgl. 2.1), wäre „im Windschatten" des hiskianischen Vordringens auf philistäisches Gebiet gut möglich gewesen. Blum ist allerdings nicht der Ansicht, daß sich Gen 26 direkt auf diese Vorgänge beziehe; das Kapitel könnte „eher schon einen länger andauernden Konflikt in dieser Region voraussetzen" (S. 307). Die ausweichende, friedliche Konfliktlösung in Gen 26 – schließlich kommt es (mit dem Unbeschnittenen!) zu einem Schwur von Bruder zu Bruder – spricht eher für die von Mazar angenommene Zeit vor Davids Siegen über die Philister. Dies schließt freilich nicht aus, daß Traditionen in Gen 26 rekreativ neugestaltet wurden. Garbini (1988), der als (italienischer) Semitist in einem Rundumschlag sämtliche „Geschichten Israels" als „ideologisch" beurteilt, weil sie von Theologen geschrieben seien, und diese Literaturgattung ihren Ursprung in Deutschland habe, sieht die Isaak-Überlieferung abhängig von der Abrahams; positiv spricht er von dem kulturellen Einfluß der Philister, bei denen Abraham zu Gast war, "as a possible source of inspiration for cultural elements among the Israelites of the southern kingdom" (S. 86). Nach dieser historischen Erwägung mag die (ideologische?) Frage erlaubt sein, ob Isaak in diese Epoche zu datieren sei. Sollte die Isaak-Sippe (im Zusammenhang mit Simeoniten oder auch ohne sie) durch den Sieg Merenptas über das Israel (vermutlich) der Leastämme in den Negev zerstreut worden sein (vgl. Otto 1979, S. 219ff.), so wäre Isaak im 12. Jh. in den Negev gezogen. Die Wanderung Isaaks in Gen 26 wird allerdings durch eine Hungersnot veranlaßt, was nicht ein aus Gen 12,10ff. übertragenes Motiv sein muß. Wäre er von Bethel nach Beerlachairoi gezogen (nach Merenptas Sieg?), so wäre eine Abwanderung in das Nildelta nahegelegen. Er begab sich aber nach Gerar, was dafür spricht, daß die Bindung an diesen Ort und schließlich an Rechobot ein ursprüngliches Traditionselement ist. Bimson (in Millard/Wiseman 1980) datiert intern biblisch auf archäologischem Hintergrund die Geburt Isaaks in das Jahr 2067. "From the point of view of the Palestinian archaeological evidence, there is certainly no reason to reject an early setting for the events of the patriarchal narratives, and ideally those events should be placed within the twentyfirst to nineteenth century B.C." (S. 89). Sonst ist die Forschung seit der Kritik von Thompson (1974) und van Seters (1975;

vgl. auch Leineweber 1980) an Datierungsversuchen der Erzväterzeit vor allem der „Albright-Schule“ auf Grund von “external evidence” sehr zurückhaltend (vgl. Worschech 1983). Die Frage nach einer möglichen geschichtlichen Einordnung der Vätergestalten sollte nicht mit dem Schlagwort “story not history” abgetan werden, denn die stories = narratives sind keine Mythen oder Märchen, sondern spielen im Raum der Geschichte, wenn diese auch überlieferungsgeschichtlich und geschichtlich nicht eindeutig zu erhellen ist. Vermutungen und Spekulationen sind unausweichlich.

Neu erschienen ist die Dissertation von Römer (1990), der überzeugend darlegt, daß zwischen den „exodischen“ Vätern, die im Deuteronomium an sieben Stellen von der Pentateuchredaktion mit Abraham, Isaak und Jakob gleichgesetzt wurden (1, 8; 6, 10; 9, 5. 27; 29, 12; 30, 20; 34, 4), und den zuletzt genannten Patriarchen zu unterscheiden ist, die auf die „populär-autochthone“ Volksfrömmigkeit zurückgehen. „Was den ‚Ursprung‘ und die soziologische Verortung der Patriarchentraditionen betrifft, sind trotz der eindrucksvollen Arbeit E. Blums noch viele Fragen offen. Vor allem müßte die Beziehung der Erzväterfiguren zu der die heutigen Exegeten interessierenden ‚Volksfrömmigkeit‘ untersucht werden. Erste Schritte in diese Richtung haben H. Schmid und O. Loretz getan“ (S. 574). Erst in der Priesterschrift seien die Patriarchen in eine größere Geschichtskonzeption hineingenommen worden. Da es m. W. für Isaak – im Gegensatz zu Abraham und Israel in Jes 63, 16 – keine direkten Belege dafür gibt, daß er eine Gestalt des Totenkults war oder vom Jerusalemer „Volk des Landes“ überliefert wurde (vgl. Herbert Schmid 1980), ist es wahrscheinlich, daß seine in Gen 26 enthaltenen Traditionen von Priestern am Altar in Beerscheba gesammelt und niedergeschrieben wurden.

3. ISAAK UND ABIMELECH (Gen 26)

3.1 Die Komposition von Gen 26, 1–33

Das in die Jakob-Esau-Erzählung eingeschobene Kapitel überschrieb DELITZSCH (1887) mit ›Mannigfache Bewährung der Verheißung an Isaak‹ und nannte es – worauf oft in der Forschung angespielt wird – „ein Mosaik von Isaak-Geschichten" (S. 360). WESTERMANN (1981) widerspricht dem, weil „eine bewußte Komposition" vorläge (S. 515). Aber ein Mosaik (sogar ein "patch work") ist doch eine bewußte Komposition! LUTZ (1969), der dem kompositorischen Prinzip nicht nachgeht, gliedert unter Auslassung von V. 3b–5. 15. 18 in sechs Abschnitte (V. 1–6. 7–11. 12–17a. 17b–22. 23–25a. 25b–33; vgl. VON RAD [9]1972). Nach WESTERMANN (1981, S. 512 ff.) bildet die Geschichte von Isaak und Abimelech (V. 12–17. 26–31) den Hauptteil, die vom anfänglichen Aufstieg zur Ausweisung durch den König und zum Höhepunkt führt. Diese Erzählung rahme die zu einem ursprünglichen Itinerar gehörende Brunnennotiz als dem ältesten Bestandteil. Als Einleitung diene V. 1–11, wobei die Gefährdung Rebekkas die Ahnfrauerzählungen in 12, 10 ff. und 20 voraussetze (vgl. VAN SETERS 1975, S. 167 ff.; BERGE 1990, S. 77 ff.). Durch Weisung und Verheißung werde der Anfang von Gen 26 dem Anfang der Abrahamgeschichte angeglichen. Während SCHARBERT (1986, S. 185 ff.) grob in V. 1–11. 23–35 (Isaak in Gerar bzw. Beerscheba) gliedert, findet sich bei den meisten Forschern eine Dreiteilung, wobei der zweite Teil mit der Ausweisung V. 16 ff. (so WEIMAR 1977, S. 97; SEEBASS 1989, S. 277) oder mit V. 19 ff. (TENGSTRÖM 1976) beginnt. Nach TENGSTRÖM ist die Verheißung in V. 24 die Antwort von Isaaks Ätiologie von Rechobot (V. 22: „Jahwe hat uns Raum gegeben, daß wir uns im Land vermehren können"). Auffallend ist, daß die nur von Isaak berichtete Niederlassung in Rechobot kaum in Überschriften erscheint. Nach RENDTORFF (1977, S. 151) haben die Verheißungsreden (V. 2 ff.; 24) eine rahmende Funktion; strenggenommen würde dies bedeuten, daß V. (25b). 26 ff. nachhängen. M. E. geht die Verheißung dem Vertragsabschluß des gesegneten Isaak, mit dem Jahwe ist, bewußt voraus. BLUM (1984, S. 301 ff.) betont die Geschlossenheit der Komposition (die Verheißungen und die V. 15. 18 gehören einer D-Bearbeitung an; nach RENDTORFF 1977, S. 34 macht das Kapitel nur „einen relativ geschlossenen Eindruck"; vgl. ALBERTZ 1987, S. 293). BLUM erkennt sozusagen den „kanonischen" Aspekt: es gehe um die territoriale Abgrenzung gegenüber den Philistern; außerdem werde Beerscheba als israelitischer Ort bestätigt. Nach ALBERTZ (1987) macht 26, 1–33 „einen unselbständigen Eindruck" (S. 293; die Gefährdung Rebekkas sei jünger als die Saras; der Vertrag in V. 26ff. hingegen älter als 21, 22ff.). Will man ein Wachstum der Komposition annehmen, so sind die Isaak eigentümlichen Stücke (12–14. 16–17. 19–22; vielleicht mit dem ursprünglich in Rechobot geschlossenen Vertrag V. 26–31) der Kern. Nach der Einbeziehung des Brunnens von Beerscheba formen die Begegnungen mit dem schon in V. 16 genannten Abimelech (V. 7–11. 26–31) den erzählerischen Rahmen, wobei Segen und Mitsein Jahwes (V. 28f.; vgl. 14) Leitmotive sind, auch für die wohl nicht auf eine Hand zurückgehenden (sekundären) Verheißungen. Den Schlußrahmen bilden die Fremdlingschaft in Gerar zur Zeit der Hungersnot (V. 1. 6) und die Selbständigkeit in Beerscheba (V. 32f.). BRUEGGEMANN (1982), der eine nicht zu verachtende "Theology of Blessing" entfaltet, umschreibt die Bewegung des Kapitels treffend: "But even in brevity, it spans a movement from famine (v. 1) to water in Beersheba (vv. 32–33"; S. 225). Trotz dieser Geschlossenheit liegt eigentlich kein „Isaak-Zyklus" vor, denn es wird z. B. nicht die Herkunft Isaaks vermeldet, auch nicht, wie es mit der in V. 7ff. vorauszusetzenden Kinderlosigkeit des Ehepaares weiterging. „Kanonisch" (vgl. CHILDS) ist das Kapitel wegen des Anspruchs auf den Brunnen von Rechobot und auf die spätere Stadt Beerscheba, auch wegen des vertraglich gesicherten (brüderlichen) Verhältnisses zu dem Philisterkönig Abimelech.

3.2 Isaak in Gerar (Gen 26, 1–14)

AHARONI (1956) lokalisierte Gerar auf dem Tell Abu Hureirah (Tel Haror), 7 km von Gaza landeinwärts in Richtung Beerscheba. Andere Ruinenhügel wie tell dschemme oder tell esch-scheirah kommen kaum in Frage. Überflüssig ist es, mit LUTZ (1969, S. 122ff.) im Anschluß an GUNKEL (^{8}1969) auf Grund von Gen 20, 1 ein zweites Gerar bei Kadesch anzunehmen, da V. 1a zu einem Itinerar gehört, V. 1b die Gefährdung Saras einleitet (so WESTERMANN 1981, S. 387ff.). AXELSSON (1987, S. 32f.) gibt auf Grund privater Auskünfte des Ausgräbers von Tel Haror, OREN, an, daß die Oberstadt während der Mittleren Bronzezeit B (2000–1700) stark befestigt war; die Unterstadt geht auf die

Eisenzeit (ab 1200) zurück. Abimelechs Palast (mit Erscheinungsfenster) lag wohl in der Oberstadt; wo Isaak mit seiner Frau koste (m^{e}ṣaḥeq), läßt sich nicht ausmachen.

In 1.5 wurde ausgeführt, daß die Verheißungen in V. 2–5. 24 entweder teilweise für ursprünglich (vgl. u. a. auch Speiser 1964, S. 201) oder insgesamt für nachträglich gehalten werden. Berge (1990, S. 92f.) findet einen ursprünglichen Textbestand in V. 1. 2a. b^{a}. 3a$^{a}\beta$. Der nachjahwistische und nachelohistische Verfasser von Gen 26 habe jedenfalls 12, 10ff. (J) gekannt. Im Gegensatz zur Gotteserscheinung in V. 24 erfolgte nach V. 2–5 kein Altarbau; er wäre im Philisterland ungewöhnlich gewesen.

3.2.1 Abraham und das Gesetz (Gen 26, 5)

Die Erwähnungen Abrahams in Gen 26 sind nachträglich und verbinden die Komposition mit der Abrahamgeschichte. Sie machen Isaak von seinem Vater (V. 3. 15) abhängig. Jahwe erschien in Beerscheba Isaak als „Gott Abrahams, deines Vaters" und sprach im nächtlichen Heilsorakel: „fürchte dich nicht, denn mit dir bin ich und ich will dich segnen und deinen Samen mehren um Abrahams, meines Knechtes willen" (V. 24b). Abraham ist der Empfänger der eidlichen Zusage der Mehrung, der Gabe aller dieser Länder an seinen Samen und des Segens für alle Völker durch seinen Samen, „weil Abraham auf meine Stimme gehört hat" (V. 3bβ–5a; vgl. Fenz 1964). Damit ist der Gehorsam, Isaak zu opfern, gemeint (vgl. Gen 22, 18). Dieser Gehorsam wird – vermutlich nachträglich – als Gesetzesgehorsam verstanden: „und meine Anordnung, meine Gebote, meine Satzungen und meine Weisungen gehalten hast" (26, 5b; vgl. Seebass 1985; Köckert 1988, S. 180ff.; 316ff.). Von Rad (^{9}1972) stellt die charakteristische Abwandlung heraus: „Daß die Verheißung kraft des Verdienstes Abrahams nun auf Isaak übergehen und deren Erfüllung entgegengehen muß, das ist ein in den Vätererzählungen ganz neuer Gedanke. Nicht einmal die Priesterschrift hat ein besonderes Interesse an der Ausmalung des Abrahambildes nach der Seite eines exemplarischen Gehorsams allen ‚Geboten, Satzungen und Weisungen' gegenüber gezeigt" (S. 217). Ergänzend wäre auf den von Jahwe erkorenen Abraham in Gen 18, 19 hinzuweisen, „damit er seinen Söhnen und seinem Hause nach ihm gebiete, daß sie Jahwes Wege halten, um Recht und Gerechtigkeit zu tun, auf daß Jahwe über Abraham (als Verkörperung des Volkes) das bringe, was er ihm verheißen hat" (vgl. Ludwig Schmidt 1976, S. 135f.;

Haag 1981, S. 195; Begrich 1989; Krašovec 1989). Wie Esra als ein zweiter Mose gezeichnet wird (vgl. Herbert Schmid 1986, S. 61), so erscheint Abraham als ein Mose vor Mose. Dieses Abrahambild ist nach Westermann (1981, S. 518) nachdeuteronomistisch. Es dürfte m. E. in die Zeit nach Esra zurückgehen (vgl. 4.3).

3.2.2 Die Gefährdung Rebekkas (Gen 26,7–11; vgl. 12,10ff.; 20)

Der Abschnitt 26.7–11, der sich lose an V. 1.6 einfügt, enthält keine genaue Ortsangabe, ist aber nicht nur durch den Zusammenhang, sondern auch durch die Nennung Abimelechs, des Königs der Philister, in Gerar zu lokalisieren. Wegen des Motivs des Reichtums nehmen Götz Schmitt (1973) u. a. die V. 12–14 hinzu, die keinen Ort erwähnen, aber auf Grund des Zusammenhangs und durch die Nennung der Philister im unmittelbaren Umfeld Gerars zu lokalisieren sind (vgl. 3.2.3).

Das Hauptproblem der Forschung betrifft die Bestimmung des Verhältnisses der drei Ahnfraugeschichten untereinander. Da noch nie Gen 20 (vgl. Seidl 1989) für die älteste Version gehalten wurde, erhebt sich die Frage, ob Gen 12,10ff. oder 26,(6)7–11 die Priorität zukommt. Doch gibt es auch die Sicht, daß jede der drei Erzählungen eine eigene Tradition darstellt (vgl. Keller 1954; ähnlich Thompson 1987). In neuerer Zeit halten Gen 12,10ff. für die ursprüngliche Version u. a. Koch [3]1967, S. 135ff.; van Seters 1975, S. 167ff., davon abhängig Westermann 1981 und Albertz 1987; Coats 1983; Berge 1990. Die Priorität von 26, (6)7–11 vertreten u. a. Lutz 1969; Schulz 1969; Götz Schmitt 1973; Lux 1977; Rendtorff 1977 (im Anschluß an Noth 1948); Blum 1984; Bartelmus 1985; Axelsson (“there is no conclusive evidence”, S. 85ff.). Wie immer geht Weimar (1977; vgl. Artikel ›Ahnfraugeschichten‹ in NBL, Lief. 1, 1988) sehr differenziert vor: Er arbeitet eine Grundschicht aus der Zeit Davids heraus (in 26,6–9), von der die Variante Gen 20 (E) abhänge; Gen 12,10ff. gehöre dem Werk des Jehowisten an; untereinander sei es zu Angleichungen gekommen (vgl. Nomoto 1976). Scharbert (1986) argumentiert überlieferungsgeschichtlich: Die Erzählung 12,10ff. sei „am klarsten gestaltet . . .; die beiden Parallelen scheinen davon abhängig zu sein. Dennoch ist sie traditionsgeschichtlich in der Abrahamgeschichte sekundär; sie stammt aus der Isaaktradition, die im Negeb fest verankert ist, während Abraham erst nach dem Zusammenwachsen der drei einst getrennten Erzväterüberlieferungen auch in den Negeb gelangt“

(S. 129; vgl. JEPSEN 1953/4). Von dem Verbot Abimelechs zum Schutz von Isaak und Rebekka (26,11) nimmt SCHULZ (1969, S. 95ff.) an, daß ein ursprünglich den Fremdling betreffender Rechtssatz auf Isaak und Rebekka angewendet wurde; 20,7 hänge davon ab; in 12,17 sei die Todesdrohung talionsrechtlich umgebildet worden. Oder ist eher in 26,11 ein Präzedenzfall anzunehmen, der dann allgemein für Schutzbürger(innen) gelten sollte (vgl. auch WESTERMANN 1981, S. 518f.)? Kompositorisch ist von Bedeutung, daß die Beteuerung Abimelechs, Isaak nicht angetastet zu haben (V. 29), sich auf V. 11 bezieht. Der dem Ehepaar gewährte Schutz ist Voraussetzung für die unbehinderte landwirtschaftliche Tätigkeit, die allerdings den Neid der Philister hervorruft (V. 12–14).

Interessant sind synchrone Auslegungen der Ahnfraugeschichten, die z. T. nicht ohne diachrone Erwägungen auskommen. CASSUTO (1964) bestreitet, daß die Zuweisung der Erzählungen an verschiedene Quellen das Problem löse, da dann immer noch die Frage bliebe: "why did the final editor find it necessary to incorporate all three accounts in his book?" CASSUTOS Antwort ist teilweise überlieferungsgeschichtlich, teilweise vergleichend literaturwissenschaftlich: Vor der Niederschrift der Tora existierten drei Versionen, die möglicherweise auf eine "ancient saga" zurückgehen; wie z. B. in römischer Literatur fänden sich auch in der Genesis Wiederholungen zur Akzentuierung. PETERSEN (1973) setzt die Quellen J und E voraus; die Texte repräsentieren "literary works in which several authors used the wife-sister motif to present themes of importance for themselves and for their society" (S. 34). In 12,10ff. gehe es um die Verschiedenheit göttlicher und menschlicher Pläne, in 20 um Gottesfurcht und um die Dialektik der Sünde und in 26,1–14 (!) um den Erfolg Isaaks in einem fremden Land. Im Anschluß daran stellt POLZIN (1975), der die Quellenscheidung ablehnt, fest, daß es in den drei Erzählungen um die Transformation des Verhältnisses von Reichtum und Nachkommenschaft in einer ehebrecherischen Situation gehe (vgl. sein Schaubild S. 88). MISCALL (1983) greift dies unter dem Gesichtspunkt von "a husband, his wife and a third party" auf, sieht mit CASSUTO in 12,20ff. einen Mini-Exodus und bezieht u. a. Davids Ehebruch an Bathscheba (1Sam 11) in seine Untersuchung ein, was auch AUGUSTIN (1983) in bezug auf Gen 12,10ff. tut (in Gen 20 und vor allem 26,7ff. könnte man nicht von einem Mißbrauch königlicher Macht sprechen). GORDIS (1985) ist der Meinung, daß die Urkundenhypothese an Bedeutung verloren habe, nicht weil sie widerlegt oder durch eine bessere Hypothese ersetzt worden sei, sondern weil "the focus of Biblical scholarship has shifted" (S. 344). Gen 12,10ff. zeige die "darker side" Abrahams, 20 handle von der "complex nature of questions of right and wrong"; schlecht schneidet Isaak ab, der "incapable of competent, independent feeling" sei (S. 352). Coats (1985), der die Quellenscheidung vertritt (E als "expansion"), stellt heraus, daß nach der ältesten Version (12,10ff.) eine Familie durch eine Krise in der Fremde zerbrochen, aber durch göttliche Intervention wiederhergestellt worden sei; Gen 20 enthalte eher eine „Gefährdung des Gastgebers" als der Ahnfrau; nur in 26,1ff. fänden sich (sekundäre) Verheißungen, die in den anderen Versionen keine Rolle spielten. In jeder führe der Streit mit dem Patriarchen tatsächlich oder potentiell zum Fluch. Thompson (1987) sieht in den drei Erzählungen wohl gemeinsame Motive, schließt aber eine Abhängigkeit von einem Prototyp aus. "Certainly one story has influenced the telling of the other, but it is not justified to speak of one story as dependent on and subordinate to the other . . . the tales cannot be identified as earlier or later than each other. They are contemporaneous" (S. 58). Die Hungersnot (12,10; 26,1) habe eine erzählerische Funktion als Anlaß zur Wanderung. Abgesehen von dem Motiv der Lüge sei Gen 26,7ff. eigenständig: Niemand begehre Rebekka, die Entdeckung der Lüge habe den Zweck eines Wortspiels mit dem Namen Isaak.

Nach Gordis (1985) lasse ein synchrones "close reading" erkennen, daß die Verfasser – auch wenn die drei Erzählungen auf eine typische Szene zurückgehen mögen – durch feine und absichtsvolle literarische Techniken ganz verschiedene Ideen zum Ausdruck brächten. Dieses Ziel wird nicht erreicht, wenn auf der Suche nach strukturalen Entsprechungen Rendsburg (1986) bei den Zwischenspielen ("interludes" Gen 26 und 34) herausstellt: "Rebekah/Dina in foreign palace, pact with foreigners" (s. o. 1. 1). Aber auch diachrone Exegese erreicht das Ziel der Auslegung nicht, wenn es nur um die Bestimmung der wechselseitigen Abhängigkeiten von Gen 12,10ff.; 20 und 26,7ff. geht. Diachrone und synchrone Auslegung sollten sich ergänzen. Die Ahnfraugeschichten an sich setzen eine Kinderlosigkeit voraus; die Geburt legitimer Nachkommen wird mindestens in Frage gestellt. Insofern passen sie in den Zusammenhang der Sohnes- bzw. Mehrungsverheißung. In der „profanen" Erzählung Gen 26,7ff. ist es der „heidnische" König, der den durch Isaaks Lüge verursachten bedrohlichen Zustand in Ordnung bringt und das Ehepaar durch Strafandrohung schützt.

3.2.3 Ackerbau und Nomadentum (26,12–14)

Das Hauptproblem dieses Abschnittes, der durch den (landwirtschaftlichen) Segen Jahwes mit dem Kontext und durch den Reichtum mit dem Folgenden verbunden ist, ist das Säen und Ernten des Schutzbürgers Isaak, der ein „Randnomade" (WEIPPERT 1971) ist. WESTERMANN (1981) bringt die Problematik kraß zum Ausdruck: „Die Schilderung des Reichtums Isaaks entspricht der Väterzeit nicht. Es wird der Reichtum des Großbauern in der seßhaften Zeit geschildert . . . Merkwürdig ist, daß weder dem Verfasser von Kap. 26 noch den Kommentatoren aufgefallen ist, daß das durch die Ausweisung bedingte Überwechseln in die nomadische Existenzform V. 17 in Wirklichkeit den Ruin der V. 12–14 geschilderten ‚Größe' Isaaks bedeutet hätte" (S. 519). ALBERTZ (1987, S. 295) schreibt, daß sich das Bild vom Kleinviehnomaden und vom reichen Bauern und Viehzüchter „ein Stück weit stoßen". Demgegenüber hält es SCHARBERT (1986) für wahrscheinlich, daß Isaak in Gerar ein Haus besitzt, „aber vor der Stadt, wie viele andere Bürger jener Zeit, Felder bestellt. Gelegentlicher Ackerbau und der Besitz von Viehherden widersprechen sich nicht" (S. 187). Für den Hausbesitz gibt es keinen Beleg (V. 25b nennt ein Zelt, das Isaak in Beerscheba aufschlägt), und der Besitz von Klein- und Großvieh außer Gesinde spricht nicht gegen randnomadische Existenz. Das Säen und überreiche Ernten (auf königlichem Boden? Vgl. 20,15) – während der Dürre – ist eine Folge göttlichen Segens (vgl. V. 29). Die Ausweisung wegen des Neides der Philister und der Befürchtungen des Königs bedeutete nicht mehr als die Aufgabe eines Lehens, vielleicht den Verlust von eigenem Grund und Boden (V. 27 nennt nur die Ausweisung).

Wie verhalten sich Feldanbau und Nomadentum? ENGEL (1982/3) überschreibt einen den Anfängen Israel gewidmeten Beitrag mit ›Abschied von den frühisraelitischen Nomaden‹ (zur Forschung vgl. LUTZ 1969, S. 149ff.; WESTERMANN 1975, S. 76ff.). Er führt mehr im Blick auf die Landnahme als auf die Erzväter aus, daß die weitverbreitete Vorstellung von den Frühisraeliten als Kleinviehhirten falsch sei. Schon in der Genesis sei davon die Rede, daß die Patriarchen auch Kamele und Großvieh besäßen und Äcker reiche Ernten brächten. Nicht Nomadentum und Seßhaftigkeit seien die Gegensätze, sondern städtische und gentile Gesellschaft. Falls eine Gruppe nur Schafe und Ziegen züchte oder nur Landwirtschaft betreibe, so sei dies eine reversible Spezialisierung. Trotz des Weidewechsels habe die stammesmäßig organisierte Gesellschaft feste Wohnsitze in Dörfern oder am Rande von Städten. Aus besonderen Anlässen gäbe es Transmigrationen, wie die Isaaks von Gerar nach Beerscheba. Bei der Vorstellung von einer sowohl Landwirtschaft als auch Viehzucht betreibenden Gruppe bezieht sich ENGEL vor allem auf ROWTON (1976), der von einer "dimorphic society" spricht (die THOMPSON 1987, S. 17 als Mythos abtut). Im Blick auf Gen 26 wäre m. E. zu sagen, daß die Gerariten eine derartige dimorphe Gesellschaft darzustellen scheinen. Die Isaaksippe lebt vor und nach der Ausweisung mit diesen in einem symbiotischen Verhältnis (so vor allem FRITZ 1981: "period of symbiosis between the settlers and the Canaanite cities during the Late Bronze Age", S. 71; vgl. auch MATTHEWS 1981; CORNELIUS 1984; THIEL 1985). Bei der Ablehnung des Nomadentums als einer Vorstufe zur Seßhaftigkeit beruft sich ENGEL auch auf GOTTWALD (1974), der ebenfalls die Vorstellung einer dimorphen Gesellschaft vertritt, die aus "pastoral nomads" und Kleinbauern bestehe, die oft nur vor der Frühjahrstranshumanz Felder bestellen; zum Nomadismus gehöre auch Jagd- (vgl. Esau) und Sammelwirtschaft. "Pastoral nomads" lebten nicht nur in Zelten, sondern auch in Hütten und Häusern. Bauern können zu Hirten werden und wieder zur Landwirtschaft zurückkehren. "We are justified, I believe, in regarding pastoral nomadism . . . as an offshoot of the agricultural village" (S. 239). So säe und ernte Isaak reichlich, tränke Wein zum Fleischgericht und segne Jakob mit Korn und Wein (Gen 27). Im Gegensatz zu dieser gentilen bäuerlich-nomadischen Gesellschaftsform stehe die feudale städtische Gesellschaft. VAN SETERS (1975, S. 13ff.) meint in bezug auf den Ackerbau betreibenden Isaak, daß dieser voll seßhaft und nicht „halbnomadisch" lebte; er habe sich weder auf königlichem Land niedergelassen noch Abgaben entrichtet. VAN SETERS bezeichnet Isaaks Zelt (26,25) als "incongruous reference". Wie steht es dann mit den mitziehenden „Hirten Isaaks" aus dessen Gesinde (V. 14.20)? M. E. wird hier auf Grund einer Theorie Isaaks Zelt für nicht kongruent erklärt. Gewiß ist der scharfe Gegensatz zwischen Schafe und Ziegen züchtenden Nomaden und seßhaften Bauern zu korrigieren. Vielleicht war Isaak einst bei Bethel seßhaft, wanderte wegen einer Dürre nach Gerar, wo er eine Zeitlang Land- und Viehwirtschaft betrieb, um nach der Ausweisung mit seinen Herden weiterzuziehen und schließlich in Rechobot (und Beerscheba) mehr oder weniger seßhaft zu werden. Zu korrigieren ist aber erst recht der ideologisch bestimmte scharfe Gegensatz zwischen (feudalistischer) Stadt und (egalitärer) Stammesgesellschaft als Voraussetzung des Revolutionsmodells (vgl. MENDENHALL 1962), das im Gegensatz zum Infiltrations- und Eroberungsmodell steht (vgl. HERRMANN 1988; LEMCHE 1985 vertritt ein Evolutionsmodell). FINKELSTEIN (1988) geht nicht auf die Vätergeschichte ein; er unterzieht das „soziologische Modell“ MENDENHALLS und GOTTWALDS einer archäologisch fundierten Kritik und spricht von “nomadic pastoralists” and “sedentary dwellers” (z. B. S. 352). Daß es Übergänge gibt, dafür ist m. E. die Isaak-Geschichte ein wichtiger Beleg. BERGE (1990) scheint seine Datierungen zu sehr auf den Unterschied von nomadischem und bäuerlichem Segensverständnis zu stützen, auch im Blick auf die Beistandsformel (S. 195ff.). Für Isaak als einen Randnomaden, der möglichst in einer Symbiose mit Seßhaften leben möchte, spricht, daß ihn Abimelech nicht nur mit seinem Heerführer Pikol, der auch in 21,22 genannt wird, sondern auch mit seinem „Freund“ Achussat aufsucht (26,26; GÖRG 1986 versteht beide Namen als künstliche Bildungen). WORSCHECH (1983, S. 57ff.) und zuletzt SAFREN (1989, S. 184ff.) haben nachgewiesen, daß es sich nicht um einen „Freund des Königs“ (vgl. DONNER 1961), sondern um den dem hebräischen Wort ähnlich lautenden Titel eines „merḫum“ handelt, eines „königlichen Beamten für Nomadenangelegenheiten“, wie er in Mari-Texten bezeugt ist. Ein derartiger “pasturage supervisor” fungiert in Mari bei einem Vertragsschluß zwischen “sedentary kinglets and pastoralist tribes” (S. 198). Der Nichtangriffspakt zwischen Isaak und Abimelech wäre dann Grundlage eines symbiotischen Verhältnisses zwischen einem Stadtstaat mit Acker- und Weideland und einem Sippenhaupt gewesen, das in Rechobot und Beerscheba seine Zentren hatte. In diesem Fall bestand die “dimorphic structure” aus zwei verschiedenen ethnischen Größen.

3.3 Isaak in Rechobot (Gen 26,16–22)

Jahwes Segen bedingt die Größe und den Reichtum Isaaks. Dieser ruft einerseits den Neid der Philister hervor, andererseits die Furcht des Königs vor dem zu mächtig gewordenen Isaak (vgl. Ex 1,9f.), der – ohne Konfiskation von Hab und Gut („in Frieden“; V. 29) – aus Gerar ausgewiesen wird. Die oft betonte Friedlichkeit der Erzväter (anders z. B. Gen 14; 34; 35,5; vgl. ROSE 1976) ist eine Seite, die besonders in der Minderheitensituation zum Tragen kommt (vgl. 34,30). Die Glossen V. 15. 18 (anders RENDTORFF 1977, S. 32ff.; WESTERMANN 1981, S. 520), die von Brunnen (Plural) des „Vaters“ Abraham handeln, welche die Philister zuschütteten, aber Isaak wieder aufgraben ließ und mit denselben Namen benannte, wurden bewußt nach der Erwähnung des Neides der Philister als Beispiel ihrer Feindschaft (V. 15) und zur örtlichen Festlegung im Tal von Gerar durch den Kontext (V. 18) eingefügt. Nach Blum (1984, S. 301 f.) dienen diese Glossen als Kompositionselemente zum Ausgleich (m. E. auch zur Unterordnung Isaaks unter seinen Vater) mit 21,22 ff.; allerdings ist zu beachten, daß in 21,25.26.28–30 auf einen „Siebenbrunn" (Singular) in Beerscheba angespielt wird; möglicherweise enthalten 26,15.18 ältere, nicht lokalisierte Brunnennotizen, die in 21,22 ff. auf einen Brunnen in Beerscheba umgedeutet wurden. Das Ziel war, einen Brunnen von Beerscheba auf Abraham zurückzuführen.

Westermann (S. 1981, S. 520) schält aus Gen 26,17 ff. ein Itinerar (Tal von Gerar, Esek, Sitna, Rechobot, Beerscheba) heraus, zu dem Brunnennotizen hinzutraten. Wenn Isaak den Brunnen mit „lebendigem Wasser" Esek (Hader) und die Grundwasserbrunnen Sitna (Streit) und Rechobot (Weite) benennt – den ersten und den dritten mit ausgeführter Ätiologie (vgl. Long 1968, S. 46 f.) –, so bedeutet dies, daß auch die beiden ersten ihm gehören, obgleich die Hirten Isaaks vor den „königlichen" Hirten Gerars und ihrem vermeintlichen (territorial begründeten?) Rechtsanspruch weichen mußten (vgl. Matthews 1981. 1986). Für das Weiterziehen nach Rechobot wird ein Verbum verwendet (ʻtq), das sich noch in Gen 12,8 für den Zug Abrahams von Sichem nach Bethel (mehr als 30 km Luftlinie) findet. Vermutlich lag Rechobot ein gutes Stück weiter als Esek und Sitna von Gerar entfernt (vgl. 1Chron 4,39 f.?), aber immer noch im möglichen Weidegebiet der Hirten von Gerar.

Esek und Sitna (vgl. jedoch Holzinger 1988, S. 177) sind nicht lokalisierbar. Westermann (1981, S. 521) identifiziert Rechobot mit Wadi (?) Ruchebe im Anschluß an Jacob (1934; doch so schon Holzinger 1898), südwestlich von Elusa, 30 km von Beerscheba entfernt gelegen. Das heutige „Rechobot-im-Negev" (= tel er-ruḥebe) ist zwar nach Gen 26,22 benannt, jedoch nicht mit ihm identisch; es läge von Tel Haror (wahrscheinlich Gerar) zu weit entfernt. Da bei den Brunnen von Esek, Sitna und Rechobot vermutlich keine Siedlungen entstanden, ist die Lage kaum mehr auszumachen. Von Rad (⁹1972) macht mit Recht darauf aufmerksam, daß die sicherlich alten Brunnenüberlieferungen „noch ganz unberührt von späterer theologischer Reflexion" seien; sie zeigen „jenen Realismus des alten Jahweglaubens, der die elementarsten Lebensgüter unmittelbar aus Gottes Hand nahm" (S. 218). Die Ätiologie des Grundwasserbrunnens von Rechobot, „Nun hat Jahwe für uns Weite geschaffen, damit wir im Land fruchtbar sein können", läßt erkennen, daß Isaak nach Vertreibung und Streit Wasser, Lebensraum und eine Zukunftsperspektive durch Jahwe gefunden hat. Hier erwächst „Theologie" aus einer guten Erfahrung, die frühere widrige Erfahrungen implicite als Führung Jahwes betrachtet. Mögen die Verheißungen des Mitseins und des Segens literarisch sekundär sein (26,3a), sie wären nicht vorangestellt worden, hätte es nicht derartige orakelhaft-prophetische Zusagen gegeben, die sich erfüllten (s. o. 1.5). WESTERMANN (1981, S. 521) hält den Folgesatz in 26,22b, den er übersetzt mit: „daß wir uns im Land ausbreiten (Verbum prh = fruchtbar sein!) können" für sekundär. Diese Ausbreitung durch Fruchtbarkeit von Mensch und Tier klingt ursprünglich, auch wenn prh an die priesterschriftliche Wendung „fruchtbar sein und sich mehren" erinnert (vgl. Gen 1,22.28; 28,3; 35,11; 47,27; Ex 1,7). Ob Isaak ursprünglich in Rechobot von Abimelech zum Abschluß des nur durch den Kontext lokalisierten Vertrages (26,26–31) aufgesucht wurde, ist m. E. sehr erwägenswert, aber nicht beweisbar. Jedenfalls sollte in der Forschung Isaaks Zug nach und Aufenthalt in Rechobot, das von Beerscheba gleichsam in den Schatten gestellt wird, gebührend berücksichtigt werden.

3.4 Isaak in Beerscheba (Gen 26,23–33)

Für die Lokalisierung des alten Beerscheba gibt es zwei Vorschläge: 1. auf dem außerhalb der heutigen Stadt liegenden gleichnamigen Tell mit einer dörflichen Besiedlung seit dem Chalkolithikum (seit ca. 3500) und einer befestigten Stadt seit dem 10. Jh.; 2. im Bereich der heutigen Stadt, mit einer Besiedlung seit dem ausgehenden 4. Jt. und einer wohl unbefestigten Stadt seit dem 10. Jh. Während AHARONI 1975; AXELSSON 1987 (S. 12: "it would be unwise to rule out the possibility that the tell in question really is that Beer-sheba . . ."; vgl. FINKELSTEIN 1988, S. 39ff.); GÖRG (Artikel ›Beerscheba‹ in NBL, Lief. 2, 1989) u. a. für den Tell als Stätte des alten Beerscheba plädieren, sprechen sich andere wie WÜST (Artikel ›Beerseba‹ in BRL ^{2}1977); ZIMMERLI (Artikel ›Beerseba‹ in TRE 5, 1980); NA'AMAN 1980 für die zweite Möglichkeit aus. Da es mehrere alte Brunnen gibt, kann mit ihnen nicht argumentiert werden, auch wenn der traditionelle Abrahambrunnen bei der zweitgenannten Stätte liegt. In der Brunnennotiz in Gen 26,23.25b.32–33 (wie auch in Gen 21,22ff.) geht es nur um einen Brunnen, den Isaak šib'ah nennt (Septuaginta: horkos; vielleicht ist dementsprechend š^{e}bu'ah = Schwur zu punktieren; vgl. 21,31b), wovon die (spätere) Stadt ihren Namen erhielt (die Vulgata übersetzte šib'ah mit abundantia: Brunnen der Fülle).

Auffallend ist, daß Isaak nach Beerscheba, das noch gar nicht bestand, „hinaufzog" (ʿlh). Demnach müßte Rechobot tiefer liegen, was für das heutige „Rechobot-im-Negev" (tel er-ruḥebe) nicht zuträfe. Es könnte aber auch sein, daß Isaak aus dem fremden Philisterland in das gelobte Land hinaufzog; für diese ʿAlija wird, allerdings von dem tief gelegenen Ägypten aus, das entsprechende Verbum (ʿlh) verwendet (vgl. Gen 13,1; 45,25; Ex 1,10). M. E. bezieht sich der Befehl „nimm Wohnung in dem Land, das ich dir sagen werde" (V. 2b) auf Beerscheba und Umgebung.

Während viele Exegeten die nachts stattfindende Theophanie in Beerscheba mit Altarbau und Anrufung des Jahwe-Namens (V. 24–25a[a]) für einen Einschub halten, der den Zusammenhang unterbricht (s. o. 1.5), sieht Lutz (1969) in den V. 23–25a "a unit of tradition complete in itself" (S. 170), die die ältere Variante zur Anpflanzung der Tamariske und der Anrufung des Jahwe El Olam (21,33) darstelle (S. 106 ff.). Lux (1977, S. 35 ff.) hingegen ist der Ansicht, daß V. 24–25a[a] (wie 1aβ. 2aβb. 15. 18) als Einschub eines zweiten Redaktors die Isaak-Überlieferung mit der Abrahams verbinde; ähnlich Blum (1984, S. 365), der auch noch V. 3b–5 einer deuteronomistischen Bearbeitung zuweist und dafür als weiteres Indiz den Titel „mein Knecht" für Abraham nennt (V. 24). Ergänzend sei vermerkt, daß der Titel Knecht Jahwes in 24,14 auch auf Isaak angewendet wird, sonst aber nicht in der Vätergeschichte bezeugt ist. Westermann (1981, S. 522) hält die die Verheißungen zusammenfassende Jahwerede in V. 24 für relativ spät, aber früher als V. 2–5, ohne besondere Gründe anzugeben (V. 3b–5 dürfte sehr spät angehängt worden sein). Wenn Isaak den Altar früher als sein Zelt errichtet (V. 25), so hängt dies damit zusammen, daß die nächtliche Theophanie mit Altarbau und Anrufung vor dem Aufschlagen des Zeltes eingeschoben wurde. Der ursprüngliche Zusammenhang war: V. 23. 25aβb. Jacob (1934), der diachrone Literarkritik ablehnt, sagt: „Daß er erst einen Altar baut und dann erst sein Zelt, geschieht (s. z. 12,8), weil jenes die Folge der Gottesoffenbarung ist und unmittelbar darauf anschließen soll" (S. 533); in 12,8 stellt allerdings Abraham bei Bethel zuerst sein Zelt auf und baut dann den Altar, um Jahwe anzurufen. Gegen Lutz (1969, S. 170) ist es unwahrscheinlich, daß Gen 21,33 („Und er pflanzte eine Tamariske zu Beerscheba und rief den Namen Jahwe El Olam an") eine jüngere Tradition als 26,24–25a[a] ist. Holzinger (1898, S. 163) ließ nicht Abraham, sondern Isaak die Tamariske mit der Begründung pflanzen, daß nur J (und nicht E, der allein Abraham nach Beerscheba versetze) vom Anrufen Jahwes rede; 21,33 sei ursprünglich auf 26,25 gefolgt. Diese Schlußfolgerung ist allzu gewagt, wenn auch bedenkenswert. In Anbetracht der Tatsache, daß sich originäre Isaak-Überlieferung in 26,12–22 findet und der Hinaufzug nach Beerscheba (V. 23) unmotiviert erfolgt, erhebt sich die Frage, ob der Brunnen von Beerscheba geschichtlich oder nur überlieferungsgeschichtlich als Anspruch einer Isaakgruppe (Simeoniten?) auf Isaak zurückgeführt wird, wie andere diesen Anspruch mit Abraham begründen. Überlieferungsgeschichtlich ist beides möglich, vielleicht sogar geschichtlich, doch die Wahrscheinlichkeit spricht für Isaak, dessen Bedeutung zugunsten Abrahams reduziert wurde.

Es ist auffallend, daß die (sekundären) Gotteserscheinungen in Beerscheba (Gen 26,24; 46,1ff.; der Altar von 26,25 wird hier implicite vorausgesetzt) sich nachts ereignen. Will man dies nicht rein literarisch erklären, so ist zu fragen, ob dort an heiliger Stätte nächtliche Inkubationsorakel eingeholt wurden; eine Antwort ist allerdings nicht möglich. Der in Beerscheba errichtete Altar dient wie die übrigen Erzväteraltäre mit Ausnahme von dem in Gen 22 erwähnten, der in Jerusalem lokalisiert wurde (vgl. 2Chron 3,1), nicht zum Opfern (anders 46,1ff.?). Westermann (1981, S. 180) versteht den Altarbau von Gen 12,7 als Bestätigung der Verheißung. Dies träfe dann auch für 26,25a zu, wobei die Anrufung des Jahwe-Namens sozusagen das Opfer ersetzte. Oder hängt das Nichtopfern (außerhalb Jerusalems) mit der josianischen Reform zusammen, die nur den Jeursalemer Tempelvorhof als Opferstätte anerkannte (vgl. Herbert Schmid 1980; Köckert 1988, S. 214)?

3.5 Isaaks Vertrag mit Abimelech (Gen 26,26–31; vgl. 21,22–31)

Diese ausgeführte Erzählung ist – wahrscheinlich ähnlich wie die von der Gefährdung Rebekkas (V. 7–11) – in den Kontext eingeschoben worden. Der Schwur von Bruder zu Bruder (V. 31a) soll die Voraussetzung der Namengebung (šib'ah = š^{e}bu'ah = Schwur) sein (V. 32; vgl. 21,31b). Es ergeben sich dabei – was kaum beachtet wird – topographische Probleme: Isaak zog nach Beerscheba hinauf; seine Knechte gruben dort einen Brunnen (23.25b). Abimelech kam aus Gerar zu Isaak (V. 26ff.). Nach V. 32 „kamen die Knechte Isaaks und erstatteten ihm Bericht wegen des Brunnens, den sie gegraben hatten, indem sie zu ihm sprachen: ‚Wir haben Wasser gefunden'". Demnach befand sich Isaak, der mit Abimelech einen Pakt schloß (b^{e}rit), nicht bei dem Brunnen, der der Stadt den Namen gab. Könnte dies dafür sprechen, daß die Erzählung über den Friedensschluß (trotz der vermutlichen Beziehung zwischen V. 31 und 33) einmal in Rechobot lokalisiert war? Da erst die Version von dem Siebenbrunn (21,25–26.28–30.31a), die in 26,26ff. keine Entsprechung hat, den Vertrag Abrahams mit Abimelech in Beerscheba lokalisiert, ist es möglich oder sogar wahrscheinlich, daß der Pakt Isaaks, der nach WESTERMANN (1981, S. 423ff. gegen VAN SETERS 1975, S. 190f.) die Vorlage für 21,22–24.27 ... war, erst durch den Kontext (26,23.25b.32–33) in dem berühmten Beerscheba fixiert wurde. In diese Richtung weist auch BRUEGGEMANNS (1982) Vermutung: "In the final form, Beersheba is the most important (sc. etiology) though it does not seem intrinsic to the narrative" (S. 225). Trotz dieser kompositorischen Plazierung von 26,26–31, die für eine eigenständige kleine Einheit spricht, sind Bezüge auf den Kontext auffallend (abgesehen von V. 31 auf V. 33): Isaaks vorwurfsvolle Frage an den zu ihm mit seinen Begleitern gekommenen König („wozu seid ihr zu mir gekommen, da ihr mich haßt und mich von euch fortgeschickt habt?") setzt die Ausweisung V. 16 voraus. Abimelech erkennt – sozusagen als Theologe aus den Völkern –, daß Jahwe mit Isaak ist (V. 28). Setzt dies im Rahmen der literarischen Gestaltung voraus, daß die Verheißung des Mitseins und Segens (V. 3aβ) nicht sekundär, sondern ursprünglich ist? Wenn Abimelech aus seiner Sicht beteuert, daß er und seine Begleiter Isaak nicht angetastet, sondern nur Gutes getan und ihn in Frieden hätten ziehen lassen („tubtu u sulummu" = Gutes/Freundschaft und Friede" in akkadischen Vertragstexten; vgl. WORSCHECH 1983, S. 64ff.), so liegt ein eindeutiger Bezug auf 26,11.16 vor; Isaak als der „Gesegnete Jahwes" erinnert an V. 12b, den WESTERMANN (1981, S. 513ff.) zu V. 13 zieht. Die Erzählung setzt (abgesehen von V. 32f.) als Grundbestand vermutlich die Verheißung des Mitseins und Segens (V. 3a), die Gefährdung Rebekkas (V. 7–11), Isaaks Säen und reiches Ernten (V. 12–14) und die auf die Ausweisung folgende Wanderung nach Rechobot-Beerscheba (V. 16ff.) nebst der Herkunft Abimelechs aus Gerar (26,1.6) voraus. Nach WESTERMANN (1981) wird Isaak im Gegenüber zu Abimelech „an Würde einem König gleichgestellt"; er repräsentiere das Volk Israel (S. 522f.). Vielleicht würde man in Isaak besser ein angesehenes nomadisches Sippenhaupt erblicken, das von Abimelech mit seinem Heerführer und dem „Beamten für Nomadenangelegenheiten" (vgl. WORSCHECH 1983, S. 57ff.; SAFREN 1989; s. o. 3.4) bittstellend aufgesucht wird. Sollte Isaak tatsächlich königlich gezeichnet werden, was bei Abraham zutrifft (dagegen BERGE 1990, S. 259ff.) und wohl auf das „Volk des Landes" in Jerusalem zurückgeht (so HERBERT SCHMID 1980), so könnte man fragen, ob der literarische Kompositor von Gen 26 ebenfalls aus diesem Kreis stammt; doch ist dies zugegebenermaßen äußerst spekulativ.

Brueggemann (1982) spricht im Blick auf Gen 26 von einem "odd assortment of materials", das nun eine zielstrebige Komposition "from famine (v. 1) to water in Beersheba" darstellt. Westermann (1981, S. 520ff.) erkennt als ursprüngliches Material das Itinerar in V. 17–25 mit eingearbeiteten und angefügten (V. 32f.) Brunnennotizen an, das von Erzählungen gerahmt sei. Westermann spricht vom Verfasser/Schriftsteller (S. 524) von Gen 26 (ohne V. 2–5. 24–25a). Rendtorff (1977, S. 31ff.), der mit Recht zwischen erzählerisch nicht ausgeführten Notizen und „zwei ausgeführten Erzählungen" (V. 7–11. 26–31) unterscheidet, bezeichnet den Autor als „Sammler oder Verfasser". M. E. hat der „Autor" sowohl gesammelt (wahrscheinlich nicht nur Itinerare und Brunnennotizen) als auch literarisch gestaltet. Ob die Verheißung des Mitseins und Segens (V. 3aβ) nicht doch zur Erzählsubstanz gehört? Haben Gottesreden keinen ursprünglichen „Sitz in der Literatur", so ist erst recht zu fragen, welches ihr „Sitz im Leben" war (vgl. Koch 1988, S. 31).

4. DIE GESTALT ISAAKS IN THEOLOGISCHER SICHT

Auch ohne die Gottesreden enthält Gen 26 Theologie, die – wie immer im Alten (und Neuen) Testament – Anthropologie einschließt. Nach der Ausweisung aus Gerar und den Brunnenstreitigkeiten erkennt Isaak in Rechobot, daß Jahwe ihm und den Seinen Lebensraum und Hoffnung schenkt. Dies schließt ein, daß Gott mit ihm ist und ihn führt. Dabei hatte gerade der Segen Jahwes, der ihn groß werden ließ, zum Neid der Philister und zur Angst des Königs vor ihm und damit zur Vertreibung geführt. Der König muß aber selbst erkennen, daß Jahwe mit Isaak, dem Gesegneten, war und ist. Nach einem Vertrag, den Isaak und Abimelech als Brüder beschwören, entließ der Patriarch den König „in Frieden". Bereits in Gen 26 ist Isaak Abraham, seinem Vater, nachgeordnet worden. Isaak und Rebekka, die in Einehe leben, sind noch kinderlos (26,7–11). Isaak legt deswegen Fürbitte bei Jahwe ein (25,21). Eine Sohnesverheißung, wie bei Abraham, oder ursprüngliche Mehrungsverheißung findet sich in der Isaak-Tradition nicht. Die Sohnesverheißung ist grundlegend in der Abraham-Sara-Überlieferung. Sie hat sich erfüllt in Isaak, "a blessed son of Abraham" (Gispen 1982). „Isaak, der gesegnete Sohn" (Gen 26), „. . . segnet seine Söhne" (Jacob 1934, S. 547.560), wobei Esau gesegnet werden sollte, Jakob aber tatsächlich gesegnet wurde, ganz im Sinne Rebekkas (Gen 27). In den folgenden Texten wird die überlieferungsgeschichtlich gewordene Genealogie Abraham-Sara (Hagar), Isaak (Ismael)-Rebekka und Jakob/Israel-Esau als Gegebenheit vorausgesetzt. Es entfaltet sich narrative Theologie, die sehr realitätsbezogen ist.

4.1 Isaak, der Sohn der Verheißung (Gen 17; 18,1–16; 21,1–7)

Charakteristisch für die Abraham-Erzählungen ist die Sohnesverheißung. Abgesehen von Gen 15,4 ergeht sie zum ersten Mal als Antwort des Engels Jahwes in dem Geburtsorakel an Hagar, das mit einem ursprünglichen Stammesspruch verbunden wurde (Gen 16,11 f.; vgl. Westermann 1981, S. 293 ff.). Brueggemann (1982) schaut in seinem Kommentar die drei Einheiten in Gen 16,1 – 18,16 (Ankündigung und Geburt Ismaels, Abrahambund, Sohnesverheißung) zusammen, weil sie die Ungewißheit der Verheißung in 15,4 verstärken: "The promise is given. But the community is called to a long wait" (S. 162; vgl. auch 1982: ZAW 94,615–634). Man mag Abrahams Ersatzehe mit Saras Magd Hagar auf die Initiative ihrer Herrin hin theologisch, jedoch nicht familienrechtlich, als „Sündenfall Abrahams und Saras" bezeichnen (so BERG 1982; vgl. MCEVENUE 1975; KNAUF 1985, S. 25ff. 56ff.), dennoch gelten dem angekündigten Ismael die göttlichen Verheißungen der Mehrung und der Volkwerdung (16,10; 21,13.19). Eine enge Verflechtung der Verheißungen für Isaak und Ismael findet sich in Gen 17. Dieses kunstvoll strukturierte priesterliche Kapitel setzt Gen 15f. und 18,1–16 voraus (vgl. NEFF 1970; MCEVENUE 1971, S. 145ff.; SKA 1989). Während u. a. WESTERMANN (1981); COATS (1983); BLUM (1984, S. 422: „Die konzeptionelle Geschlossenheit ... scheint mir ... nicht zu bezweifeln zu sein") Gen 17 als einsträngige Einheit verstehen, entdeckt WEIMAR (1988) eine vorpriesterliche Grundschicht (V. 1–4a.6.22), die von P^G überarbeitet, in das priesterliche Werk integriert und von P^S und R^P vervollständigt wurde. Strukturell und inhaltlich bedeutsam ist, daß die Verheißung Isaaks, auf dessen Namen Abrahams Lachen anspielt, mit der Verheißung der Mehrung und der Volkwerdung an Ismael verzahnt ist, wobei die Bundeszusage – im wesentlichen der Selbstverspruch Gottes, aber auch die Mehrungs- und Landzusage – nur Isaak gilt, obgleich der 13jährige Ismael als Familienangehöriger zusammen mit allen Männern des Hauses Abrahams beschnitten wird. Familien- und Volksreligion sind hier vereint (vgl. Ex 12,43ff.). In 17,19 nennt Gott selbst den Namen Isaak; in 18,12ff. spielt Saras Lachen lediglich auf den Namen an.

Der Abschnitt Gen 18,1–16a setzt Ismael gar nicht mehr voraus (im Gegensatz zu 21,8ff.). Er handelt vom Besuch der drei namenlosen Männer und der Verheißung eines Sohnes durch Jahwe. Nach WESTERMANN (1981, S. 342; vgl. ALBERTZ 1987, S. 293) gehört diese Erzählung, in der die Sohnesverheißung integraler Bestandteil ist, zum Grundbestand der Abraham-Überlieferung. Die vage Gattungsbezeichnung „Erzählung" schränkt WESTERMANN selbst ein: „Eigentlich ist das keine Erzählung, in der eine Spannung zu einer Lösung geführt wird; eine gewisse Bewegung kommt in den Ablauf allein dadurch, daß der Verheißung des Sohnes nicht dankbare Freude, sondern skeptischer Zweifel entgegenkommt" (S. 331). COATS (1983) sieht in 18,1–16a keine "dinstinct unit, but part of a larger narration in J"; der Text habe keine "independent structural role" (S. 138). Die Wiederkehr Jahwes wird nicht vermeldet, statt dessen in 21,1–7 (P: V. 3–5) Zeugung und Geburt Isaaks. Sara hebt m. E. ihr ungläubiges Lachen auf, wenn sie spricht: „Ein Lachen hat mir Gott bereitet, jeder, der das hört, wird meiner lachen" (21,6). VAN SETERS (1975) hält Gen 13,18; 18,1a. 10–14; 21,2.6–7 für eine präjahwistische Geburtsgeschichte; ein (spät-)jahwistischer Bearbeiter habe die episodische Einheit 18,1 – 19,38 geschaffen (S. 313; vgl. KILIAN 1989). KÜMPEL (1977) schält aus 18,1–22 eine einfache Einheit heraus, die zweimal erweitert wurde. Die vieldiskutierte Unausgeglichenheit zwischen den drei Männern – ob hinter ihnen die drei Anaksöhne Achiman, Scheschaj und Talmaj stehen (Num 13,22) oder die drei Amoriter Mamre, Eschkol und Aner (14,13)? – und dem einen Jahwe (vgl. dazu KILIAN 1966, S. 184ff.; anders HAAG 1981), läßt darauf schließen, daß eine mythische Mamre-Tradition rezipiert und „jahwistisch" überarbeitet wurde. Kann man diese (uneigentliche) Erzählung dem Grundbestand der Abraham-Überlieferung zuweisen? Trotz der Annahme mythischer Traditionen ist TEUBALS (1984) Behauptung, Sara sei wegen ihrer Residenz bei den Terebinthen von Mamre, ihrer Kinderlosigkeit usw. eine Priesterin gewesen, wenig ansprechend. Nach BRUEGGEMANN ist die Frage „ist für Jahwe irgend etwas zu wunderbar?" (V. 14) der Spitzensatz, um den sich die ganze Erzählung dreht. "It asks about the freedom of God in the face of accepted definitions of reality" (ZAW 94, 1988, S. 619). Trifft dies zu, dann hat diese (zusammengesetzte) Einheit als "announcement narrative" nicht nur eine mythische-entmythisierende (nach 19,1ff. sind die drei Männer Jahwe und zwei Boten) Tiefe, die diachrone Literar- und Überlieferungskritik zu erfassen versucht, sondern auch eine aktuelle Spitze, die das theologische Problem des Realitätsverständnisses aufwirft.

Kompositorisch will beachtet sein, daß vor der Schwangerschaft Saras und der Geburt Isaaks mit den auf seinen Namen anspielenden Reaktionen (21,1–2a.6–7) die Erzählung von der nochmaligen Gefährdung Saras (Gen 20) und damit der Gefährdung der Sohnesverheißung (Gen 17f.) steht. Eine Scheidung von J und E in 21,1ff. gelingt nicht. Nach WESTERMANN (1981, S. 405f.) liegt ein Werk des Redaktors vor; oder hat P als Schlußbearbeitung die an Gen 17 anschließenden V. 2b–5 mit der Notiz von der Namengebung und Beschneidung Isaaks durch Abraham eingefügt? Eine Beschneidung Jakobs und seiner Söhne berichtet P nicht, setzt sie aber voraus (vgl. Ex 12,43ff.).

4.2 Isaak als Alleinerbe (Gen 21,8–21; 25,1–6)

Das Thema des Erben klingt in der Klage Abrahams und in der Sohnesverheißung in Gen 15,3f. an: „Siehe, mir hast du keinen Samen gegeben und siehe, der Sohn meines Hauses wird mich beerben ... Nicht dieser wird dich beerben, sondern der aus deiner Lende hervorgehen wird, wird dich beerben" (zur Quellenscheidung in diesem Kap. vgl. die Tabelle in Ha 1989, S. 25; Haag 1989; Weimar 1989; Ha versteht Gen 15 als theologisches Kompendium eines exilischen Verfassers, das den ganzen Pentateuch mit Ausnahme von Gen 14 voraussetze und mit 12f. ein Vorwort bilde). Nach Hans Heinrich Schmid (1971) ist die ursprüngliche Bedeutung von "jrš" „beerben" (S. 779), nach Lohfink (1983) bezeichnet „gesamtsprachlich ... das qal mit Objekt der Person die Sukzession in der Leitung der Familie, das qal mit Objekt der Sache Besitzergreifung von Sachen, vor allem Grund und Territorien, aufgrund verschiedener Rechtstitel, jedoch nicht des familiären Erbgangs oder des Kaufs" (S. 33; Ha 1989, S. 15 übersetzt „jrš" mit "to succeed"). In Gen 15,7ff. geht es um den verheißenen Landbesitz. M. E. schließt die Übernahme der Leitung der Familie (V. 3f.) die Erbschaft des tatsächlichen und zugesagten (b^{e}rit!) Eigentums Abrahams ein. Damit würde in Einklang stehen, daß Abraham „alles, was ihm gehört", Isaak gab; die Söhne der Nebenfrauen (Ketura; sollte Hagar inbegriffen sein?) jedoch, die er selbst von Isaak weg ins „Land (der Söhne; vgl. 29,1) des Ostens" schickte, mit „Gaben" abfand (Gen 25,5f.). Gen 25,1–4.5f. gilt meist als Nachtrag (vgl. Westermann 1981, S. 484), um arabische Stämme Abraham zuzuordnen. Warum aber diese Zuordnung, wenn die Abrahamiten mit Abfindungen, die das Erbe Isaaks schmälern, wieder fortgeschickt werden? Liegt die Annahme nicht näher, daß sich diese Sippen/Stämme selbst genealogisch auf Abraham zurückführten? Coats (1983, S. 172) betont, daß Ketura eine Ehefrau Abrahams ist; in V. 6 werde sie indirekt zur Konkubine degradiert. Jacob (1934) bestreitet, daß die „Kebsweiber" in 25,6 Hagar und Ketura seien; zur Ketura als Ehefrau bemerkt er: „Es hat immer auffallend und unglaubhaft geschienen, daß Abraham nach ... dem Tode Saras nochmals heiratet, und nachdem er sich vierzig Jahre früher (17,17) für zu alt hielt, jetzt gleich ein halbes Dutzend Söhne zeugt. Aus dieser Schwierigkeit erwuchs dem Midrasch die Identifikation Keturas mit Hagar, die Abraham nach ihrer Verstoßung zurückgenommen habe" (S. 534).

Scharbert (1986) weist im Blick auf 25,5f. (J) darauf hin, daß nach altorientalischem Recht alle Söhne erbberechtigt seien; „der Vater kann aber die Söhne von Nebenfrauen zugunsten der Söhne der Hauptfrau oder des Erstgeborenen noch zu seinen Lebzeiten mit entsprechenden Geschenken abfinden" (S. 180). Die ausgeführte Verstoßungsgeschichte von Hagar mit ihrem Sohn anläßlich der Entwöhnung Isaaks in 21, 8ff. (nach SCHARBERT 1986, IRSIGLER 1989 u. a. beginnt die Einheit mit V. 9) läßt erkennen, daß die Sache im Rahmen des Streits der Frauen nicht so einfach war, nicht zuletzt wegen der väterlichen Gefühle Abrahams gegenüber Ismael. Während WESTERMANN (1981, S. 411ff.) ›Die Vertreibung und Rettung Hagars und ihres Kindes‹ für eine Erzählung von besonderer Schönheit hält, „die in der Väterzeit entstanden sein kann und auf eine mündliche Erzählung zurückgeht" (gegen VAN SETERS 1975), ist nach KNAUF (1985) dieser Text „eine späte Ergänzung zum bereits in seiner priesterschriftlichen Ausgestaltung vorliegenden Pentateuch" (S. 18). „Die Elemente von Gen 21 entsprechen Punkt für Punkt denen von Gen 16 als Nachtrag oder Korrektur" (S. 21); eine mündliche Tradition habe es nicht gegeben (S. 25). Anlaß zur Vertreibung Hagars mit ihrem Sohn war Saras Aufforderung, als sie den namentlich nicht genannten Ismael „m^{e}ṣaḥeq" (= "playing the role of Isaac": so COATS 1983, S. 153) sah: „Vertreibe diese Magd und ihren Sohn, denn nicht soll der Sohn dieser Magd erben mit meinem Sohn, mit Isaak" (21, 10). Nach WESTERMANN (1981, S. 416. 418f.) sind sowohl die V. 12bβ–13 als auch 17aβ–18 wegen der Verheißungen sekundär, was m. E. fraglich ist (vgl. IRSIGLER 1989). Der Satz: „Denn in/durch Isaak wird dein Same benannt werden" sei nicht leicht zu verstehen. Diese Begründung umschreibt LOHFINK (1983) als „Quasidefinition" folgendermaßen: „durch Isaak soll es kommen, daß von einer Fortdauer Abrahams durch kommende Generationen gesprochen werden kann" (S. 16). Ob damit auch das Haus Isaak mit Bethel als Zentrum (Am 7, 9. 16) auf Abraham zurückgeführt werden soll? WHITE (1975. 1979) versteht sowohl die Aussetzung Ismaels als die Opferung Isaaks (Gen 22) als Initiationsriten, was wenig Anklang gefunden hat. Nach der Vertreibung in die Wüste von Beerscheba rettete Gott das durch ihn selbst gefährdete Kind und seine Mutter. Das Motiv der Rettung des Kindes liegt nach WESTERMANN (1975, S. 44) auch Gen 22 zugrunde.

Beachtlich ist, daß die eine Völkergemeinschaft (Gen 9) und eine abrahamitische Ökumene voraussetzende priesterliche Schicht (vgl. HERBERT SCHMID 1990) weder eine Vertreibung Ismaels noch Esaus zu Lebzeiten ihrer Väter Abraham und Jakob kennt. Isaak und Ismael (25, 7–11; so COATS 1983, S. 172f.; vgl. KNAUF 1985, S. 56ff.), Jakob und Esau (35, 27–29) bestatten jeweils gemeinsam ihre Väter; erst dann kommt es zur Trennung. Der von Gott gesegnete Isaak wohnte bei Beerlachairoi (25,11), während sich die Ismaeliten östlich von Ägypten allen ihren Brüdern auf die Nase setzten (25,18 P?); Esau ließ sich auf dem Gebirge Seir nieder (Gen 36). Die Vorstellung von Isaak als Alleinerben hat eine Entsprechung in der Zusage, daß Gott seinen Bund nur mit Isaak aufrichten werde (17,19.21), dennoch soll Ismael zum großen Volk werden (17,20). Gehören die Ismaeliten zu den „Völkern und Königen“, die aus Abraham hervorgehen sollen? Wohl nicht, da die „Völker und Könige“ von Sara abstammen sollen, also Ismael ausschließen (17,16); eine ähnliche Zusage („Gemeinde von Völkern“) ist an Isaak und Jakob gerichtet (28,3; 35,11 P). Vielleicht sind diese Verheißungen gar nicht exklusiv gemeint, und Ismaels Nachkommen samt denen Keturas gehören doch zur abrahamitischen Ökumene. Ganz gleich, ob die Einheiten Gen 16 und 21,8ff. früh (so u. a. SEEBASS 1989) oder sehr spät (so KNAUF 1985) entstanden sind, ob die Verheißungen für Ismael zur Erzählsubstanz gehören oder Nachträge sind (21,13.18; so WESTERMANN 1981; BLUM 1984, S. 315 findet es unmöglich, hier „Alt“ und „Neu“ durchgehend zu scheiden), sie wehren einer Verachtung oder gar einem Haß gegenüber diesen arabischen Völkern (vgl. KEUKENS 1982). Die Erzählung von der Brautwerbung für Isaak kennt Isaak als Alleinerben (24,36). Nach WESTERMANN (1981, S. 476) ist dabei 25,5f. (P) vorausgesetzt, was bedeuten würde, daß Gen 24 später als P ist (?).

4.3 Isaak soll von Abraham geopfert werden (Gen 22,1–19)

Neuere Untersuchungen dieser Perikope, in der Isaak als der einzige, geliebte Sohn Abrahams erscheint, spiegeln verschiedene Methoden und den uneinheitlichen Stand gegenwärtiger Forschung wider. Konventionell gilt der Text als elohistisch (RESENHÖFFT 1977, Band 1.2; GOLKA 1978; HANS-CHRISTOPH SCHMITT 1986; MCKANE Artikel ›Isaak‹ in EKL, Lief. 5, 1988 u. a.). MCEVENUE (1984) untersucht die elohistischen Einheiten Gen 20; 21,1ff. und 22,1–19 stilistisch und strukturell (vgl. SARNA 1970; CRENSHAW 1975; BERLIN 1983; LACK 1987) und stellt folgende Ereignisfolge heraus, die vereinfacht darin besteht (S. 318):

1. Gottes Befehl (20,13; 21,12; 22,2);
2. Abraham gehorcht (20,1–2a; 21,14; 22,3);
3. Abimelech nimmt sich Sara; Krankheit (20,2b.18); Ismael verdurstet (21,16); Abraham bereitet die Schächtung vor (22,9f.);

4. Gott verhindert den Ehebruch (20,6f. 17); der Engel Gottes zeigt eine Quelle (20,19f.); der Jahweengel rettet Isaak und sorgt für ein Ersatzopfer (22,11–13).

Hans-Christoph Schmitt (1986) wendet sich ausdrücklich gegen eine heute naheliegende Fragmentenhypothese und plädiert aus theologischen Gründen für eine elohistische Schicht, für die das Theologumenon von der Gottesfurcht (vgl. Ex 20,20) charakteristisch sei; Versuchung durch Gott ereignet sich da, „wo der Mensch angesichts der Erfahrung des verborgenen Gottes das Vertrauen auf die Leben schenkende Macht Gottes zu verlieren droht" (S. 94).

Die meisten Ausleger sehen in der zweiten Rede des Engels (V. 15–18) einen Zusatz. Moberly (1988) versteht ihn als einen "profound theological commentary" (Berge 1990, S. 92, nimmt für 22,15–18 und 26,3b–5 einen gemeinsamen Ursprung an). Für die Einheitlichkeit von 22,1–19 spricht sich u. a. Coats (1973, S. 389ff.) aus, weil die Exposition (V. 1f.), die Complication (V. 3–10) und die Resolution (V. 11–14) eine Conclusion (V. 15–18; Itinery V. 19) erforderten (vgl. van Seters 1975; Alexander 1983; Deurloo 1984). Ein Beispiel synchroner Literarkritik bietet u. a. Mazor (1986): ". . . binding Isaac's chronicle to the altar of literary criticism appears considerably rewarding: it not only brings to light the inner, artistic filaments of the biblical text, but also its psychological motivations and underlying human currents" (S. 88).

Überlieferungsgeschichtlich bleibt Kilian 1986 (vgl. Göllner 1987) bei seinen Ergebnissen von 1966: Eine Wallfahrts- und eine Kultstiftungstradition seien elohistisch (vgl. jedoch 1989!) überarbeitet worden (V. 15–18 sind nachelohistisch). Religionsgeschichtlich äußerten sich zum Menschenopfer u. a. Jaroš (1974, S. 283ff.) und Kaiser (1976). White (1979; vgl. 1975) versteht Gen 22 als eine Initiationslegende. Axelsson (1987) bringt „Jahwe (er)sieht" (22,14) in Beziehung zu dem El Roi vom 16,13. "If this is correct, then Gen 22 will also have its traditio-historical origins in the south. It is, however, unlikely that these texts originally dealt with Abraham" (S. 88). Ein besonderes Problem ist der Berg im Lande ha-Morija (22,2); nach 2Chron 3,1 baute Salomo auf dem Berg ha-Morija den Tempel. Ist Morija in Gen 22 oder in 2Chron 3 primär, d. h., wurde Morija aus Gen 22 in die Chronik aufgenommen, oder ist Isaaks Opferung auf Grund von 2Chron 3 in Jerusalem lokalisiert worden? Westermann (1981, S. 437) und viele andere sind letzterer Meinung, doch mehren sich die Stimmen, daß Morija in Gen 22 originär sei (vgl. Scharbert 1986, S. 165). Blum (1984, S. 325) rechnet damit, daß der Erzähler von Gen 22 Morija künstlich gebildet oder einen sonst nicht belegten Landschafts- oder Flurnamen aus der Jerusalemer Region aufgegriffen habe. „So oder so besteht jedenfalls kein Anlaß, Morija in V. 2 dem Erzähler . . . abzusprechen" (S. 325). Allerdings wäre es dann nicht notwendig gewesen, das Holz zum Opfer aus dem baumarmen Beerscheba herbeizuschleppen. Diebner (1987) vertritt im Rahmen seiner Kanon-Konzeption der antik-jüdischen Bibel die Sicht, daß die Samaritaner den Berg in 22,2 mit dem Garizim gleichsetzten, die Juden dagegen mit dem Zionsberg. Dieses polemisch verengte Verständnis zeige sich in 2Chron 3,1. M. E. ist es am wahrscheinlichsten, daß der Berg Morija in 22,2 durch 2Chron 3,1 eindeutig in Jerusalem lokalisiert wurde, wo nach der josianischen Reform (vgl. Dtn 12 u. ö.) allein geopfert werden sollte. Dementsprechend bringt Abraham dort ein Holocaustum dar (22,13); dort entrichtet er auch den Zehnten (14,18ff.). Gen 22 ist mehr oder weniger frei „erzählte Theologie" (vgl. Westermann 1981, S. 435); ein Tier zum Brandopfer wurde nämlich zuerst gebunden, dann geschächtet und zubereitet, bevor es auf den Altar gelegt wurde (vgl. Rendtorff 1967, S. 94f.). Es wäre für eine Person mindestens äußerst schwierig gewesen, einen Hammel zu binden, auf den Altar zu legen und dann erst zu töten. Wenn sich Isaak, der sachkundige Fragen stellt, nicht wehrt, so kommt m. E. implicite seine Bereitwilligkeit zum Ausdruck. Er ist wohl nicht „nur Opfer" (vgl. Albertz 1987, S. 294). Nach Koler (1984) sollte Abraham seinen Sohn als Strafe dafür opfern, daß er gegen das Verbot Dtn 16,21 in Beerscheba eine Tamariske pflanzte.

Westermann (1981, S. 435), der den Elohisten ablehnt, datiert Abrahams Opfer wegen der Erprobung eines einzelnen und wegen des Theologumenons der Gottesfurcht in die späte Königszeit. Veijola (1988) wendet sich in seinem umfassenden, auch die Wirkungsgeschichte berücksichtigenden Aufsatz dagegen, daß der Elohist der Verfasser von Gen 22,1–14. 19 sei. Versuchung und Gottesfurcht seien Theologumena der nachexilischen Zeit (vgl. Hi 1f.). Die Prüfung eines einzelnen sei spät belegt (2Chron 32,31; Ps 26,2), auch erscheine der Engel Jahwes nicht wie in frühen Zeiten in Menschengestalt, sondern sei ein himmlisches Wesen (S. 150ff.). Mit dem Berg im Lande Morija sei von vornherein der Jerusalemer Tempelberg gemeint („Land Morija" hieße es nur wegen der Analogie zu Gen 12,1). Das nachexilische Israel habe in Abraham als dem Träger der Land- und Nachkommenverheißung eine Identifikationsfigur gefunden. „Aus der Spätansetzung der Erzählung folgt, daß sie als Schöpfung eines Schriftstellers und Theologen, nicht als Werk eines Erzählers, der mündliches Traditionsgut weitergibt, zu verstehen ist. Die nächste Parallele zu ihr bietet in literarischer Hinsicht Gen 24 . . ." (S. 156). „Es handelt sich um ein Paradigma narrativer Theologie" (S. 57). In der Antwort Abrahams „Gott wird sich ein Tier zum Brandopfer ersehen, mein Sohn" drücke Abraham „sein festes Vertrauen darauf aus, daß Gott tatsächlich ein Tier zum Brandopfer bereitstellen wird" (S. 160). Dies käme m. E. auch in dem Wort Abrahams an die Knechte zum Ausdruck: „und wir wollen zu euch zurückkehren" (V. 5). Die Erzählung betone somit nicht nur den Glaubensgehorsam, sondern auch die Glaubenszuversicht Abrahams (S. 162).

4.3.1 Die Bindung Isaaks in frühjüdischer Auslegung und im Neuen Testament

Isaak spielt unter den drei Erzvätern die geringste Rolle (vgl. SOGGIN 1984, S. 92f.; SCULLION 1988). Dennoch hat er durch die Auslegung von Gen 22 als Verkörperung des Volkes Israel (vgl. MARTIN-ACHARD 1982; KIEWELER 1986; KREUZER 1986; BROCKE 1987) bzw. als Bild Jesu Christi (vgl. DELITZSCH 1887, S. 329; NEUBACHER 1986; LERCH 1950; VON RAD 1971) eine große Bedeutung erlangt, obgleich in Gen 22 zweifellos Abraham die Hauptgestalt ist (zum griechischen Bereich vgl. WESTMAN 1969). WESTERMANN (1981, S. 432f.) bietet wesentliche Aspekte der Auslegungsgeschichte. ROSENAU (1985) korrigiert WESTERMANNS Urteil über Schelling, der von einem widergöttlichen Prinzip in Gen 22 spräche. „Dieses . . . Urteil . . . bedarf der Korrektur, denn ein bläßlicher Protest gegen einen die Moralität mißachtenden unanständigen Gott, der eben darum nicht Gott sein könne, liegt Schelling fern" (S. 252).

Im folgenden soll die neuere Diskussion um die frühjüdische Aqedah-(= „Bindung" Isaaks)Auslegung und ihren möglichen Niederschlag im Neuen Testament verfolgt werden. MAIER (1972, S. 119f.) faßt die Ergebnisse der Erforschung der frühjüdischen Auslegung vor allem unter Beachtung der Arbeiten von VERMES (1961, S. 193ff.) und unter Berücksichtigung von künstlerischen Darstellungen in sieben Punkten zusammen, die abgekürzt wiedergegeben seien:

1. Die Gleichsetzung des Berges im Lande Morija mit dem Jerusalemer Tempelberg (2Chron 3, 1; Jub 18, 13) gehöre zur Tempeltheologie.
2. Die Aqedah sei Typus des Martyriums, werde mit dem Gottesknechtsmotiv verbunden und gelte als Verheißung der Auferstehung.

3. Das Opfer des einzigen Sohnes gelte „als ob" dargebracht und habe Sühnecharakter.
4. Wie Verheißungen für Isaaks Nachkommen folgen (Gen 22, 15ff.), nähme man an, daß in Isaak die ganze Nachkommenschaft mitgeopfert und miterrettet worden sei.
5. Die Aqedah begründe den Jerusalemer Opferkult, besonders das Tamidopfer; im Morgengebet werde Gen 22 mit anderen Opfertexten verlesen.
6. Die Aqedah habe im Passamonat (Nisan) stattgefunden; das Lamm repräsentiere die Aqedah. Die Aqedah-Symbolik sei auf den späteren Neujahrstag als den Tag des Gerichts im Monat Tischri übergegangen.
7. Die Aqedah sei in die Symbolik des Großen Versöhnungstages eingebaut worden.

Mit der Gestalt Isaaks im Alten Testament und in frühjüdischen Schriften befaßt sich u. a. MARTIN-ACHARD (1982–1992), der sich aber nicht mit dem Problem des möglichen Einflusses der jüdischen Aqedah-Auslegung auf das Neue Testament auseinandersetzt. Darüber handeln u. a. DALY (1977), DAVIES und CHILTON (1978), GUBLER (1977), SWETNAM (1981) und zusammenfassend BROCKE (1987). DALY (1977), der wie die folgenden Autoren die Forschungsgeschichte berücksichtigt, ist sich der methodischen Schwierigkeiten bewußt: ein induktives Vorgehen von einzelnen neutestamentlichen Texten aus führe zu einer Unter-Interpretation, ein deduktives Vorgehen unter der Voraussetzung einer in neutestamentlicher Zeit bestehenden Aqedah-Tradition zu einer Über-Interpretation. DALY wählt letzteren Weg und findet sichere Bezüge zur Aqedah in Hebr 11, 17–20; Jak 2, 21–23; Röm 8, 32; wahrscheinliche in Mk 1, 11; 9, 7 (par); 1Cor 15, 4; Röm 4, 16ff. und mögliche u. a. in Joh 1, 29; 1Cor 11, 24 (S. 65ff.). Im Gegensatz zu SCHOEPS (1946) kommt er zu dem Schluß, daß die Aqedah nicht das Vorbild paulinischer Soteriologie sei; sie sei aber "quite clearly an essential part of the background of NT-soteriology" (S. 74). Dagegen erheben DAVIES und CHILTON (1978) in ihrem gemeinsamen Aufsatz entschiedenen Widerspruch: In vorchristlicher Zeit habe es im Judentum überhaupt keine Aqedah-Theologie gegeben; diese sei erst nach 70 n. Chr. unter dem missionarischen Einfluß der Kirche entwikkelt worden. In Hebr 11, 17ff. habe Isaak keine sühnende Funktion, in Jak 2, 21ff. gehe es um Abrahams, nicht Isaaks Opfer, und in Röm 8, 32 sei der sprachliche Bezug auf Gen 22 höchstens implizit; die weiteren von DALY genannten Stellen hätten mit der Aqedah nichts zu tun (S. 529ff.). Erst im 2. Jh. hätten Christen Isaak mit Jesus Christus typologisch verbunden. Unabhängig von DALY einerseits und DAVIES und CHILTON andererseits geht GUBLER (1977) der Frage nach, ob die Aqedah ein Motiv zur Deutung des Todes Jesu sei. Sie kommt zu dem (vorläufigen) Ergebnis: „Als sicherer, direkter Anklang an die Aqeda (sprachlich und inhaltlich) kann ... nur Röm 8,32 betrachtet werden (was seit Origenes schon erkannt wurde). Es bleibt aber noch zu klären, ob diese Anspielung als Schriftbezug (Gen 22) oder als Anklang an jüdische Aqedahtraditionen zu beurteilen ist" (S. 344). Röm 8,32 enthalte eindeutig das Aqeda-Motiv, doch liege – wie in Gen 22 – der Akzent auf der Dahingabe des Sohnes durch den Vater, nicht auf dem Sohn selbst (S. 364). Es sei verwunderlich, daß in Anbetracht der weiten Verbreitung der Aqedatheologie zur Zeit Jesu die Anklänge so spärlich seien. Der „Lohngedanke legte möglicherweise für Paulus die Gefahr eines Mißverständnisses der Vorstellung zu nahe, weshalb seine Referenz zu Gen 22 in Röm 8,32 kryptisch und unausgeformt blieb" (S. 371). Der Tod Jesu sei „Überbietung und letzte Steigerung der Opferung Isaaks, der im Gegensatz zu Jesus gar nicht getötet worden war" (S. 369f.). Dieser Satz erinnert an DELITZSCH (1887), der in seinem Genesis-Kommentar schrieb: „Vor allem ist Isaak, der nur ‹en parabole› geopfert wird (Hebr 11,17–19), die bleibende Parabel des Abrahamssohnes und Gottessohnes, der sein Kreuzesholz trägt und in Wirklichkeit darauf geopfert wird ..." (S. 329). SWETNAM (1981) vergleicht ebenfalls Röm 8,32 mit Gen 22; eine Analogie läge in Hebr 11,19 vor: „Im Gleichnis" opferte Abraham seinen Sohn und erhielt ihn von den Toten zurück: "So offered God Jesus in sacrifice and received him back from the dead, but in a way for which Abraham and Isaac were but an imperfect foreshadowing" (S. 81). Im Blick auf Hebr 5,7–10 sei die wahrscheinliche Schlußfolgerung, daß der Verfasser an die Aqedah denke, nach der Isaak freimütig seinem Tod zustimmte (S. 187). Die Aufnahme der Aqedah in Hebr 6,13–15 zeige, "that the author thought of the faith and endurance of Abraham at the sacrifice not as a cause of the promises but as a condition for their definite granting" (S. 187). "The emphasis given to the shedding of blood at Heb 9,22 throws into even sharper relief the view implied by the author at Heb 11,17–19 that the sacrifice of Isaac was incomplete and therefore in no way could serve as a source of expiation for sin. In this he seems to be in agreement with one strand in the Jewish tradition and in disagreement with another" (S. 188). Wie DALY und GUBLER geht SWETNAM von der Existenz seiner jüdischen Aqedah-Theologie in neutestamentlicher Zeit aus. Während GUBLER aus christologischen Gründen nur einen minimalen Einfluß findet, ist nach SWETNAM der Einfluß der

Aqedah-Tradition bei Wahrung der Christologie des Hebräerbriefes beträchtlich. Er äußert sich in Aufnahme und christologisch bedingter Ablehnung. Im Wissen darum, daß es um Abwägung von Wahrscheinlichkeiten geht, ist nach SWETNAM auch die Bezeichnung „mein geliebter Sohn“ nebst der Menschensohn-Vorstellung in die Erforschung der Aqedah einzubeziehen. Aus Hebr 2,5–18 ließe sich folgern, daß der Menschensohn martyrologisch gesehen wurde (S. 190). Im ganzen erfülle Jesus die Präfiguration der Aqedah.

BROCKE (1987) stellt zusammenfassend fest, daß „auch neuere jüdische und christliche Untersuchungen ... in der Einfluß- und Prioritätsfrage nicht zum Konsens“ gelangten. „Da die breitere Entwicklung jüdischer ʻaqedah-Traditionen offensichtlich später als das Neue Testament ist, wird sowohl die soteriologische Formulierung vorgegebener jüdischer ʻaqedah-Vorstellungen durch das Neue Testament als auch eine jüdische Übernahme neutestamentlicher Vorstellungen fragwürdig“ (S. 299f.). Läßt aber die „im 1. Jh. n. Chr. nicht unbeachtliche Beschäftigung mit Gen 22“ (S. 300) – besonders nach der Tempelzerstörung und dem Aufhören des Tamid-Opfers – eine jeweilige Unabhängigkeit zu? Judenchristen können durchaus jüdische Aqedah-Traditionen christlich entfaltet haben (vgl. SWETNAM). Strukturanalogien nicht nur zwischen Altem und Neuem Testament (vgl. zuletzt KAISER 1989), sondern zwischen dem komplexen Judentum und dem uneinheitlichen Juden- und Heidenchristentum waren Grundlagen eigenständiger Entwicklungen, die dennoch Ähnlichkeiten aufwiesen. Schwierigkeiten bereitet freilich die Quellenlage. BROCKE ist zuzustimmen, „daß die Untersuchung der ʻaqedah-Vorstellungswelt allein um der Deutung des Sühnetodes Jesu willen eine Verzweckung und Verengung der Blickweite bedeutet“ (S. 299).

Zu einer Verengung des Blickwinkels kommt es schon, wenn der alttestamentliche Text nicht beachtet wird. Im Gegensatz zu Gen 12,1 ff.; 26,2–5; (vgl. 17,1 ff.) ergeht in 22,2 wohl ein Befehl, aber keine darauffolgende Verheißung (vgl. BERGE 1990, S. 279ff.). Die (sekundäre) Verheißung erfolgt nach dem Akt des Gehorsams als Schwur Jahwes: „Weil du diese Tat getan und nicht verschont hast deinen Sohn, deinen einzigen ... darum, weil du gehört hast auf meine Stimme“ (V. 15–18). JACOB (1934, S. 503) übersetzt V. 18b mit: „zum Lohne, daß du auf meine Stimme gehört hast“ und führt aus: „Der wahre Grund ... ist nicht einmal die Tat als solche, sondern das grundsätzliche Eingehen auf Gottes Ruf ...“ (S. 503). Dieser Halbvers wird in 26,5a aufgenommen: „darum, weil Abraham auf meine Stimme gehört hat“ und durch (den Zusatz?) V. 5b im Sinne der Befolgung des Gesetzes Gottes verstanden. JACOB betont, daß die Erneuerung der Zusagen „eine Belohnung für Abrahams Gehorsam“ ist; „5a ist wörtlich aus 22,18, womit also jenes Opfer als die höchste Tat und das größte Verdienst Abrahams, das alle seine Nachkommen und zunächst Isaak genießt, gekennzeichnet wird“ (S. 548). Zu 26,24 schreibt JACOB: „Auch dieser Segen ist ein Verdienst Abrahams. Die Bezeichnung Gottesknecht, sonst nicht in der Genesis, faßt V. 5 in Einem Wort zusammen“ (S. 552). VON RAD ([9]1972) bemerkt: „‚Um Abrahams willen‘ heißt schwerlich ‚um der Verdienste und des Gehorsams Abrahams willen‘, ‚sondern um der dem Abraham gegebenen Verheißungen willen‘“, was aber nicht überzeugt. Es geht in Gen 22 um die Gehorsamstat des Verheißungsempfängers, der den zweiten Verheißungsträger nicht verschont hätte. Trotz einer möglichen Bereitwilligkeit Isaaks, der sich nicht sträubte, berichtet Gen 22 kein isoliertes „Als-ob-Opfer“ des Sohnes der Verheißung. Ein Segnen „um Isaaks willen“ kommt in der Vätergeschichte nicht vor. Die neutestamentlichen Anspielungen und Hinweise auf die Aqedah betreffen die Tat Abrahams (Heb 11,17ff.; Jak 2,21ff.; vgl. dazu HAHN 1971); in Röm 8,32 („Er hat seinen eigenen Sohn nicht verschont . . .“) wird das Handeln Gottes typologisch mit dem Handeln Abrahams in Beziehung gesetzt oder – wohl besser – wird das Handeln Gottes in der Sprache von Gen 22,12.16 ausgedrückt. Vielleicht liegt kein Entweder-Oder vor; die Sprachgestalt impliziert eine Typologie, die das Handeln Abrahams übersteigt.

4.4 Die Brautwerbung für Isaak (Gen 22,20–24; 24)

Die Genealogie Nahors, die sachlich Gen 11,27ff. und die Geburt Isaaks (21,1ff.) voraussetzt, zählt zwölf Söhne auf, acht von der Hauptfrau Milka und vier von der Nebenfrau Reuma. Uz, Bus und Maacha weisen in das nördliche Ostjordanland, „aber von einer aramäischen Stammesliste kann man damit nicht sprechen“ (WESTERMANN 1981, S. 451); nach 10,22 ist Sem der Stammvater der Aramäer (vgl. MALAMAT 1973; GÖRG 1975; LIPINSKI 1978; Artikel ›Aramäer‹ in NBL, Lief. 1, 1988). „Vater Arams“ nach Kemuel ist ein Zusatz, ebenfalls „Bethuel hat Rebekka gezeugt“ (22,21.23). Dadurch dient die Genealogie zur Vorbereitung auf Gen 24 (31,53 bezieht sich auf sie). Die Genealogie macht die Aramäer zu Nahoriden und damit zu Verwandten Abrahams. Die priesterliche Erzählung vom Tod Saras und vom Kauf der Höhle Makpela (Gen 23) unterbricht den Zusammenhang. In 24,67 wird der Tod Saras vorausgesetzt. Nach WESTERMANN (S. 448) ging Isaaks Geburt (21,1ff.) der Nahor-Genealogie als ursprünglichem Schlußrahmen der Abrahamgeschichte voraus; in 21,8 – 24,67 fänden sich nur Nachträge, was in Anbetracht der Zusammengehörigkeit der „Negev-Gruppe" Gen 20 – 22 (KESSLER 1972) zu hinterfragen wäre.

Gen 24 – die längste Erzählung der Vätergeschichte abgesehen von der ›Josephserzählung als Novelle und Geschichtsschreibung‹ (DIETRICH 1989) – ist nach EISSFELDT ([2]1962) aus J und E zusammengesetzt, nach ZIMMERLI (1976) wegen der „spürbar andersartige(n) Erzählweise" (S. 128) nachjahwistisch, nach GARCIA LOPEZ (1980) wurde ein «texto primitivo» («del Yahvista . . .») mit einem «primero» und «segundo grupo de adiciones» und schließlich einer «tercera serie de adiciones» («. . . al Deuteronomista») versehen. BLUM (1984, S. 383f.) hält diese Literarkritik für überzogen und schließt sich ROFÉ (1976) an, der mit DIEBNER und SCHULT (1975) insoweit übereinstimmt, als diese Gen 24 „auf dem Hintergrund der Heiratsbestimmungen des qhal hagola (ab Mitte des 5. Jh. v. Chr.)" verstanden (S. 14). Für diese zeitliche Ansetzung sprechen nach ROFÉ (1981) außer der «realitá storica e le istituzioni legali» die Sprache (z. B. in V. 3.7.53: „Gott des Himmels und der Erde"; migdanot = gute Sachen), «le credenze religiose» (z. B. das Gebet V. 12–14. 27; 42–44.48), la forma letteraria («Tutte le figure sono esemplari»; «paradimma») und «la morale» («non si deve sposare una donna canaanea»; «Isacco non deve ritornare in Mesopotamia»). Gegen diese Argumentation läßt sich kaum etwas einwenden. Trotzdem ist zu fragen, ob wegen einer Reihe von Unausgeglichenheiten doch mit Überarbeitung(en) einer Grundschicht zu rechnen ist, etwa mit einer „Harran-Bearbeitung", die das Gebiet Labans, das nach Gen 31,44ff. an Gilead angrenzte (vgl. MABEE 1980), nach der Stadt Nahors (24,10) verlegte (BLUM 1984, S. 164ff.). WESTERMANN (1981) vertritt zwar wie BLUM (1984) die Einheitlichkeit der Erzählung, nimmt aber an, daß diese „in einer älteren Form auf die Väterzeit zurückgehen" könnte (S. 469). Eine Schwierigkeit ist, daß der Ort der Aussendung des anonymen Knechts (der Name Elieser stammt aus Gen 15,2) zur Stadt Nahors nicht genannt wird und daß der Knecht nicht zu Abraham, sondern zu seinem Herrn Isaak nach Beerlachairoi (24,62; vgl. 25,11) zurückkehrt. M. E. braucht deswegen nicht auf den Tod Abrahams geschlossen zu werden (so WESTERMANN, S. 479; BLUM, S. 384); dafür ist der Tod Saras vorauszusetzen; eine Übersetzung wie „er brachte sie ins Zelt zu Sara, seiner Mutter" (so BLUM) erübrigt sich. Isaak brachte seine Frau in das Zelt seiner verstorbenen Mutter, die ihr eigenes Zelt hatte (vgl. 31,33). Das Motiv der Begegnung mit heiratsfähigen Mädchen am Brunnen findet sich auch in

Gen 29 und Ex 2, 16 ff. Nach ZIDERMAN (1985/6) durfte ein Mann nicht mit Mädchen zu einem tiefer gelegenen Brunnen hinabsteigen. Gebete kommen in der Erzvätergeschichte kaum vor (25, 21; 32, 10 ff.; in der Josephsgeschichte fehlen sie); in Gen 24 ist das Gebet integraler Bestandteil. Es dient in V. 12 ff. auch zu einem Charaktertest – es ist eine mühevolle Arbeit, zehn Kamele zu tränken! – und zielt auf ein Omen (anders WESTERMANN, S. 473). Leitwörter der auf die Eheschließung hinauslaufenden Erzählung sind „gelingen lassen" und „führen". M. W. wird im Alten Testament nur in 24, 14. 44 gesagt, daß Gott die Ehefrau „bestimmt". Das Wort Jesu vom Zusammenfügen der Ehepartner hat hierin (außer in Gen 1, 27; 2, 24) eine Voraussetzung. Isaak ist Alleinerbe (V. 36; s. o. 4.2). Rebekkas Vater Betuel ist bereits tot (trotz V. 50), deswegen verhandelt „fratriarchalisch" ihr Bruder Laban außer der Mutter. Der Abschiedssegen im Blick auf die Hochzeit enthält den Wunsch der Mehrung, auch daß Rebekkas Nachkommen „das Tor ihrer Hasser erben mögen" (V. 60; als Verheißung Jahwes in 22, 17b). Es ist dabei nicht an einen militärischen Sieg gedacht, sondern daß zahlreiche Nachkommen Sitz und Stimme im Tor der Stadt erhalten und die (randnomadische) Sippe an Einfluß gewinnt (vgl. Ps 127, 3 ff.; HERBERT SCHMID 1987). SCHARBERT (1986) sieht in Gen 24 „eine lehrreiche Beispielerzählung über das Wesen der Ehe, . . . auch über das unauffällige Mitwirken Gottes an den Unternehmungen seiner Frommen" (S. 179). Die Erzählung von einer Brautwerbung sei zugleich die Erzählung von einer göttlichen Führung (S. 172). Gegen das Verständnis von Gen 24 als einer "example story" (vgl. ROTH 1972; ROFÉ 1981) wendet sich AITKEN (1984); Gen 24 sei auch keine Variante zu Gen 29 und Ex 2. Die Gen 24 zugrundeliegende Tradition "was a marriage story which was transmitted orally within the setting of marriage, specifically within the transfer of the bride, and that it was narrated as a paradigm of the willing bride who joyously departs to her bridegroom's home . . ." (S. 19 f.). Anzumerken bleibt noch, daß Isaak und Rebekka monogam lebten, obgleich die Ehe nach 25, 19 f. 26b (P) 20 Jahre lang kinderlos blieb. Eine Sohnesverheißung, die für die Abraham-Überlieferung charakteristisch ist, kommt nicht vor. Dafür „tat Isaak Fürbitte bei Jahwe (in Beerlachairoi?) um seiner Frau willen, denn sie war unfruchtbar, und Jahwe ließ sich erbitten, und Rebekka, seine Frau, wurde schwanger" (25, 21). Isaak, der mit einem Lebensalter von 180 Jahren von den Patriarchen am ältesten wurde, wurde von seinen beiden Söhnen Jakob und Esau in der Höhle Makpela beigesetzt, wenn auch diese in 35, 27–29 (P) nicht genannt wird; Rebekka soll ebenfalls dort bestattet sein (49, 29 ff. P). Nach RENDSBURG (1984) ist die Notiz vom Grab der Amme Rebekkas unterhalb von Bethel (35,8) nicht deplaziert. Eigentlich müßte erzählt werden, wie Jakob nach der Rückkehr von Laban seine Eltern wieder trifft; Rebekka, die den Betrug an Isaak inszenierte, habe sozusagen als Strafe das erhoffte Wiedersehen (27,45) nicht mehr erlebt; darauf verweise indirekt das Debora-Grab, zu dem nach EISSFELDT ([2]1962) u. a. der Grabstein gehört, auf den Jakob eine Libation goß und ihn mit Öl salbte (35,14; vgl. V. 20; anders WESTERMANN 1981, S. 674f.).

WESTERMANN (1981, S. 480) weist abschließend im Blick auf Gen 24 darauf hin, daß „zur Kontinuität der Geschichte Gottes mit seinem Volk ... auch die Liebesgeschichte" zählt, „so wie sie hier (als Wachsen einer Liebe nach der Eheschließung) zur Geschichte Abrahams gehört, die in Isaak und Rebekka weitergeht". Zum Aufkommen der Liebe nach der Eheschließung (anders im Hohenlied) ist zu sagen, daß Jahwe die Ehefrau für Isaak bestimmt hatte (24,14.50f.).

4.5 Isaaks und Rebekkas Söhne Jakob und Esau (Gen 25,19ff.; 27)

Gen 25,21.22–26a, gerahmt von priesterlichen genealogischen Notizen, und 25,29–34 stellen einen Prolog zur Betrugsgeschichte dar, die zur Flucht Jakobs zu seinem Onkel Laban in Haran führt (vgl. WESTERMANN 1975, S. 50ff.). Genauer betrachtet ist die Geburtsgeschichte (25,21.22–28), die „keine eigentliche Erzählung" ist (VON RAD [9]1972, S. 212), die Exposition zur Jakob-Esau-Erzählung, die die Jakob-Laban-Geschichte (Gen 29–31; vgl. MABEE 1980; MORRISON 1983) umschließt. Jakobs Kauf des Erstgeburtsrechts Esaus (25,19–34) könnte überlieferungsgeschichtlich gesehen eine Parallele zu Gen 27 sein. Gen 26 ist eine Einschaltung (so auch der synchrone Ausleger JACOB 1934, S. 540). Wenn die Jakobgeschichte, im Gegensatz zu der Abrahams, einen stärker novellistischen Charakter hat, so spricht dies nicht dafür, daß erstere jünger sei (so WESTERMANN 1981, S. 500); die Jakoberzählung wurde vielmehr im Nordreich früher gepflegt und ausgestaltet (vgl. Hos 12; NEEF 1987; kritisch dazu UTZSCHNEIDER 1988) als die im Südreich tradierte Abraham-Überlieferung. OTTO (1979, S. 25ff.) hebt eine Edom-Schicht (25,22f.25.30; 27,19a[a]b.39.40; 33,14ff.) ab. Wenn auch die Gleichsetzung Esaus mit Seir früher erfolgte als die mit Edom, so fragt es sich, ob eine literarkritische Scheidung möglich ist. Die Gleichsetzungen dürften im Stadium der mündlichen Überlieferung erfolgt sein. BLUM (1984, S. 69ff.) spricht sich dafür aus, daß – im Gegensatz zu WESTERMANNS familiengeschichtlichem Verständnis (vgl. dazu KIRKPATRICK 1988, S. 84f.) – in Gen 25.27 von vornherein ein völkergeschichtliches Verständnis angelegt sei. „Ein Durchgang durch Gen 25 und 27 führt demnach darauf, daß beide Textabschnitte gleichermaßen die völkergeschichtlichen Bezüge als integrierende Bestandteile der Erzählsubstanz voraussetzen. Der oft behauptete sekundäre Charakter dieser Bedeutung kann also nicht . . . an den Texten selbst ausgewiesen werden, im Gegenteil, er müßte gegen deren Sinnstrukturen postuliert werden" (S. 74). „Die Jakob-Esau-Erzählungen . . . setzen durchweg die Bedeutung der beiden Hauptgestalten als Ahnväter der Völker Israel bzw. Edom voraus und haben letztlich einen ätiologischen Skopus im Blick auf das in der Gegenwart der Erzähler bestehende Verhältnis zwischen diesen Völkern" (S. 78). Ein Problem besteht m. E. darin, daß die Völker der Lotsöhne Moab und Ammon (Gen 19,30ff.), deren Territorien zwischen dem nordisraelitischen Ostjordanland und Edom lagen, gar nicht vorkommen. BLUM (1984, S. 79ff.) hält 25,19ff. und 27,1–45 – abgesehen von 25,19–20.26b P – für literarisch einheitlich (vgl. DE PURY 1989, S. 259ff.; anders LUDWIG SCHMIDT 1988). Überlieferungsgeschichtlich stehen hinter 25,29ff. und Kap. 27 selbständige Einzelsagen, wobei 27 auf eine Weiterführung hin angelegt sei (BLUM, S. 86ff.). Ist auf Grund der Weiterführung zu folgern, daß Gen 27 auf diese hin gestaltet wurde? Nach OTTO (1979, S. 34ff.) ist die Erzählung vom Linsengericht (25,29ff.) am ältesten; die Geburtsgeschichte sei vorangestellt worden, die ihrerseits früher sei als die Betrugsgeschichte, die ab 27,41ff. die Verbindung der Jakob-Esau- mit der Jakob-Laban-Überlieferung voraussetze. Während 25,21.22–26 von der Fürbitte Isaaks wegen der Unfruchtbarkeit Rebekkas spricht – Esau und Jakob sind sozusagen Söhne der Fürbitte – und V. 23f. ein erfragtes Jahweorakel im Blick auf die späteren Völker Edom und Israel enthält, beruht in V. 27f. der zukünftige Konflikt der unterschiedlichen Zwillinge auf der einseitigen Bevorzugung durch den Vater und durch die Mutter; auch Jakobs Kauf der Erstgeburt (b^ekorah) Esaus, der getadelt wird, ist rein „diesseitig". "The negotiation of the brothers . . . forms a counterpart to the inscrutable way of God (vv. 19–26)" (BRUEGGEMANN 1982, S. 217). Das Geschäft der Brüder "works to implement the purposes of God" (S. 217f.). Im Anschluß an die „Mischehen" Esaus (26,34f. P; unterschiedlich 36,2f. P?) und unter Voraussetzung von 25,19ff. folgert JACOB (1934) im Blick auf Gen 27: „Dafür, daß Rebekka den Segen dem Jakob zuwenden will, hat sie berechtigte Gründe: die größere Würdigkeit des Jüngeren infolge seines Charakters und seiner Lebensweise, die Unwürdigkeit Esaus, der sich durch seine Heiraten als

Erben der Verheißung unmöglich gemacht hat, und die prophetische Weissagung 25,23, die sie fälschlich auf die Brüder selbst bezieht. Dadurch glaubt sie, die göttlichen Pläne fördern zu dürfen, auch gegen ihren Gatten, der von der Verheißung vielleicht nichts wußte . . . und gegen Esau schwach war" (S. 561f.); der Prophet Hosea (12,4ff.) dürfte dem kaum zugestimmt haben (vgl. JEREMIAS 1983). In bezug auf Gen 27 sagt WESTERMANN (1981, S. 531) zur Forschungsgeschichte, daß WELLHAUSEN eine Schichtung wohl annahm, eine Sonderung aber nicht für möglich hielt; diese vollzog GUNKEL, jetzt werde wieder die Einheitlichkeit vertreten; wirkliche Doppelungen fänden sich nur in V. 33–34/ /35–38. Inzwischen kehrt LUDWIG SCHMIDT (1988) wieder zur Scheidung von J und E zurück. FABRY (1989) hält die Grundschicht von Gen 27 für elohistisch. Im Gegensatz zu WESTERMANN (1981, S. 531ff.), der 27,27b–29.39–40 für Nachträge hält, plädiert BERGE (1990, S. 119ff.) für die Einheitlichkeit von V. 27b–29 innerhalb des jahwistischen Kontextes. Der Akt der Segenshandlung besteht nach WESTERMANN (S. 535f.) aus der Aufforderung des Vaters, der Identifizierung des zu Segnenden, der Mahlzeit, der Umarmung und dem Segensspruch. „Der Segen ist das älteste Sakrament" (S. 536). Die Formel „Wer dich verflucht, sei verflucht, und wer dich segnet, sei gesegnet" (V. 29) schließt m. E. einen Schutz und die Einladung zur Segnung Jakobs ein. Wenn Esau meint, zum zweiten Mal betrogen worden zu sein (V. 36), wird expressis verbis 25,29ff. vorausgesetzt, wo er nicht „betrogen", sondern höchstens übertölpelt wurde. Umstritten ist, ob Isaak den Segen über Jakob hätte zurücknehmen können. WESTERMANN (S. 530) u. a. verneinen dies wegen der angenommenen „magischen" Wirkung. JACOB (1934) bestreitet dies, da der Segenswunsch nur ein Optativ sei; die Zurücknahme „würde implizite eine Verfluchung Jakobs bedeuten" (S. 568; vgl. VON RAD ^{9}1972, S. 225). HECKELMAN (1985) beantwortet die Frage "Was Father Isaac a Co-Conspirator?" positiv. M. E. enthält der Ausspruch Isaaks „auch soll er gesegnet bleiben" (V. 33b) als Wendepunkt der ganzen Handlung nicht nur das Moment der „Unabänderlichkeit" (WESTERMANN, S. 538), sondern vor allem das Moment der Zustimmung zur Segnung Jakobs anstelle von Esau. Eine neue Deutung von Gen 27,1–45 legt KEUKENS (1982) vor. Ausgehend von WESTERMANNS familiengeschichtlichem Verständnis – auch in den Segenssprüchen sei nicht von Völkern, sondern von Großfamilien, Sippen und/oder Horden die Rede – gehe es im Sterbesegen unmittelbar vor dem Tod in der Regel um den Segen für die ganze Familie. Wenn Isaak entgegen der sprachlichen Konvention nicht den Tag seines Todes kannte und nur Esau segnen wollte, so beging er Fehler, die die Segenswirkung verhinderten. Gen 27 sei „die Geschichte von einem leeren Segen, der nichts anderes als drohenden Fluch bewirkt, weil von allen Familienmitgliedern mit dem Sterbesegen und seinem Zeremoniell nur Spott getrieben wird" (Gen 27,12; S. 51). Der Text könne „als Dementi eines profetischen Wortes, das Mal 1,2–5 enthält, verstanden werden" (S. 55). Ob dies zutrifft? Der Kompositor der Jakob-Geschichte, auch etwaige Bearbeiter von Gen 27, haben den Text nicht als Dokument eines leeren Segens verstanden. P verfaßte eine Parallelversion (26,34–35; 27,46 – 28,9).

In Anbetracht der z. T. widersprüchlichen überlieferungsgeschichtlichen und diachronen literarkritischen Forschung ist es nicht verwunderlich, daß gerade bei der durchkomponierten Jakob-Esau-Laban-Erzählung ausgehend von der „Letztgestalt" des Textes synchrone Literarkritik betrieben wird, die zahlreiche strukturelle Entsprechung feststellt (Fishbane 1975; Miscall 1978; Rendsburg 1986; s. o. 1.1). Gen 26 bleibt dabei als zweites Kapitel der Jakobgeschichte eine Einschaltung; ob es als Interludium in Gen 34 – das vor den Toledot Jakobs nicht das vorletzte, sondern zweitvorletzte Kapitel ist – ein harmonisches Gegengewicht hat, ist fragwürdig. Im ganzen zeigt sich bei der Gestalt Isaaks ein gewisser Rhythmus von Positivem und Negativem, der kompositorisch beabsichtigt sein mag:

Gen 17f.: Ankündigung der Geburt Isaaks; 20: Gefährdung; 21,1–7: Geburt Isaaks; 21,8ff.: Ismael als potentieller Rivale; 22: Gefährdung und Rettung Isaaks; 23: Tod der Mutter; 24: Hochzeit Isaaks; 25: Geburt der Söhne und familiärer Konflikt; 26: Isaak, der Gesegnete Jahwes; 27: Isaak will Esau segnen, segnet Jakob, der vor Esau flieht.

Nach 27,46 – 28,9 verläßt Isaak mit Rebekka die Bühne der Geschichte.

4.6 Isaak schickt Jakob nach Paddan Aram (Gen 26,34 – 35; 27,46 – 28,9 P)

Nach der priesterlichen Schicht ist Isaak der verheißene Sohn, mit dem Gott einen ewigen Bund aufrichten will (Gen 17; vgl. Ex 2,24). Abraham benennt und beschneidet ihn am 8. Tag nach der Geburt (Gen 21,2b. 3–5). Gemeinsam mit Ismael bestattet Isaak seinen Vater in der Höhle Makpela (25,7–10. 11: Gott segnet Isaak). Mit 40 Jahren heiratet Isaak die Aramäerin Rebekka; im selben Alter ehelicht Esau zwei Hethiterinnen, was den Eltern Kummer bereitet (25,19f.;

26,34f.). Isaak ist 60 Jahre alt – ein Drittel seiner Lebenszeit –, als Esau und Jakob geboren werden (25,26b).

Nach COATS (1983, S. 197ff.) ist Gen 26,34 – 28,9 ein "tale of strife", beginnend und endend mit Esaus "marriage report"; dabei bilden 26,34f., 27,46 – 28,9 ein "priestly narrative" ohne einen Konflikt zwischen Esau und Jakob. Das Konfliktmotiv ist m. E. enthalten im Kummer der Eltern über Esaus Mischehen (26,35). Für WESTERMANN (1981, S. 544) ist 27,46 – 28,9 „keine Erzählung im eigentlichen Sinn". "These verses are an intrusion in the primary narrative. They are unrelated to what precedes and to what follows. The main narrative advances from 27,45 to 28,10 without them" (BRUEGGEMANN 1982, S. 236). Letzterem kann man kaum zustimmen, denn Rebekka, die den Betrug von 27,1–40 inszeniert und Jakob zur Flucht geraten hatte (V. 41–45), erreicht als die ihrem Mann geistig Überlegene, daß dieser, der mit ihr den Kummer über Esaus Mischehen teilt, Jakob segnet und ihn zu Laban, seinem Schwager schickt, damit er dort eine Frau finde: „Du sollst dir keine Frau nehmen von den Töchtern Kanaans" (28,1.6; vgl. JACOB 1934, S. 572: „Ohne den wahren Grund zu verraten, suggeriert sie Isaak selber den Plan einer Auswanderung nach Charan"). Viele Kommentatoren (z. B. WESTERMANN 1981, S. 544) sehen in diesem Verbot einen Hinweis auf die nachexilische Mischehenproblematik. Das Gebot Isaaks an Jakob, sich eine Frau von den Töchtern Labans zu holen (vgl. Gen 24), müßte dann als Gebot der Endogamie verallgemeinert werden; sollten nur „Töchter der Golah" geehelicht werden? SCHARBERT (1986) versteht sogar die dritte Ehe Esaus mit einer genealogisch verwandten Ismaelitin paradigmatisch: „In Babylonien und nach der erhofften Rückkehr in die Heimat war mit Mischehen zu rechnen; davor sollten die Juden gewarnt werden, bzw. wenn sie bereits eine Mischehe eingegangen waren, sollten sie bewogen werden, diese rückgängig zu machen oder wenigstens eine ‚Schwester im Glauben' zusätzlich zu heiraten, um so den Kindern jahwegläubige Mütter zu geben" (S. 196). Der Segen Isaaks besteht in einem Segenswunsch: El Schaddaj möge Jakob segnen, fruchtbar machen und mehren (vgl. Gen 1,22.28; 9,1.7; 35,11; 47,27), so daß Isaak, der den Segen Abrahams, d. h. den Besitz des „Landes der Fremdlingschaft" (vgl. 17,8; 36,7; 37,1), erhalten soll, zu einer Gemeinde von Völkern (vgl. 35,11; 48,4) wird. „Hier zeigt sich noch einmal, daß Segen und Verheißung gleichbedeutend geworden sind" (WESTERMANN 1981, S. 546, der mit Recht auf die Bedeutung der Familie hinweist, die nach dem Untergang des israelitisch-jüdischen Staates „die die Kontinuität Israels und seiner Religion bewahrende Gemeinschaftsform" war; S. 547). Im Rahmen der Familienreligion fällt die etwas im Hintergrund sich abspielende, aber doch entscheidende Rolle Rebekkas auf (Gen 27: P: 27,46).

Nach P lebte Isaak wie Abraham als Fremdling in Mamre (Kirjat Arba = Hebron), wo er im Alter von 180 Jahren „alt und lebenssatt" starb und von seinen Söhnen Esau und Jakob (sicherlich in der Höhle Makpela; vgl. Gen 23; 25,7–10; 49,31) bestattet wurde. In der gemeinsamen Beisetzung des Vaters durch Esau und Jakob sieht Keukens (1982, S. 54ff.) eine Aussage, die sich in exilisch-nachexilischer Zeit gegen einen Edomiterhaß wendet. Im Unterschied zu Jakob und in einer gewissen Übereinstimmung mit Abraham wird von Isaak über den „dritten Lebensabschnitt" (nach 27,46 – 28,9) nichts mehr berichtet. „Seltsamerweise ist nach der Flucht Jakobs aus seiner Familie Isaak völlig vergessen; er spielt auch bei der Rückkehr Jakobs Gen 32f. 35 keine Rolle mehr. Nur P läßt es Gen 35,27–29 (vgl. 31,17f.) zu einer Wiederbegegnung kommen, die aber ganz schematisch bleibt (vgl. 25,7–9) und nur dem ordnungsgemäßen Begräbnis des Stammvaters dient" (Albertz 1987, S. 294).

5. DIE VÄTERRELIGION

Die Forschung steht entweder in grundsätzlicher Übereinstimmung oder in Ablehnung und Alternativen suchend unter dem Einfluß von ALTS (1929) Aufsatz ›Der Gott der Väter‹. Für die erste Position sei WERNER H. SCHMIDT (^{6}1987) genannt. Unter der Überschrift ›Die nomadische Vorzeit‹ geht SCHMIDT auf den ›Gott der Väter‹ ein, der nicht identisch sei mit den Göttern der Vorfahren Abrahams (vgl. Gen 35, 2ff.; Jos 24, 2), später aber mit Jahwe gleichgesetzt wurde (Ex 3; 6, 2ff.). Gottesprädikate wie „Gott Abrahams" (Gen 28, 13) fänden sich im jahwistischen Geschichtswerk, obgleich der Gottesname Jahwe von Anfang an gebraucht werde. „Schließlich ist eine Einzelnachricht wie Gen 31, 53, die in ihrer pluralischen Formulierung fast anstößig klingt . . . aus späterer Zeit schwer erklärbar" . . . „‚Der Gott Abrahams und der Gott Nahors sollen richten zwischen uns!' Erst eine spätere Einfügung ‚der Gott ihres Vaters' scheint beide Gottheiten ausdrücklich als eine verstanden zu haben, wenn nicht auch dieser Zusatz distributiv (‚je ihres Vaters') aufzufassen ist und damit die Unterscheidung der Gottheiten beibehält" (S. 20f.). Der Ausdruck „Gott meines/deines Vaters" (Gen 31, 5. 29. 42; 43, 23) sei alt, „während sich der Plural ‚Gott deiner/unserer Väter' außer in Ex 3f. vor allem in späteren Schriften findet" (S. 20). Eine noch ältere Gottesbezeichnung sei „Schreck Isaaks" (31, 42. 53). Da Kultätiologien auf die Erzväter übertragen wurden, erhielten der Gott der Väter und später Jahwe Beinamen Els wie El Olam (Gen 21, 33), El Roi (16, 13) oder El Bethel (31, 13; 35, 7; S. 26ff.). „Gegenüber dem Anruf ‚Du bist El Roi', der ‚Gott, der mich sieht (?)' (Gen 16, 13J) enthält der ältere Brunnenname Beer-Lahai-Roi ‚Brunnen des Lebendigen, der mich sieht (?)' (16, 14; 24, 62; 25, 11) nicht das Element El, so daß das am Brunnen wohnend gedachte Numen vielleicht gar nicht als El-Gottheit galt" (S. 28). Nicht ortsgebunden sei die priesterschriftliche Gottesbezeichnung El Schaddai (Gen 17, 1; 28, 3; 35, 11; Ex 6, 2; vgl. dazu WERNER H. SCHMIDT, 1988, S. 276ff.; auch S. 147ff.; zur These ALTS vgl. u. a. SCHARBERT 1974; WYATT 1978; RUPRECHT 1976; MCKANE 1979; LEINEWEBER 1980; WENHAM 1983; WESTERMANN 1975/^{2}1987, S. 97ff.; KOCH 1988; CAZELLES 1989; ZOBEL 1989).

Eine Abwandlung der These ALTS vollzieht z. B. LUX (1977), wenn er im Gefolge Eissfeldts (1956. 1968) und Cross' (1973) den Gott der Väter von vornherein als El-Gottheit versteht (S. 202ff.; dagegen Köckert 1988, S. 67ff.). Verändert wurde die These Alts durch die Arbeiten von Vorländer (1975) und Albertz (1978), die die Väterreligion als Ausdruck persönlicher Frömmigkeit verstehen, wobei Albertz der Väterreligion eine besondere Ausprägung auf Grund der halbnomadischen Existenzweise zubilligt (S. 81). Eine gewisse Synthese zwischen Alt und den beiden letztgenannten Autoren vollzieht Cazelles (1989), der vom persönlichen Gott Abrahams als einem Schutzgott spricht und eine Linie über die Lokaltraditionen von Bethel (Gen 28, 10ff.) und vor allem von Beerscheba (26, 24; 46, 1ff.) zum Gott der Dynastie Davids zieht. Sachlich fundiert und im einzelnen differenziert bringt Koch (1988) folgende Einschränkungen gegenüber Alts These vor: „Der Gott meines/deines Vaters NN" gehöre der mittelpalästinischen Jakob-Überlieferung an (in Gen 26, 24 sei „der Gott Abrahams, deines Vaters" sekundär); ursprünglich fehle der Personenname. Die Wendung paḥad jiṣḥaq (= Zeugungsglied Isaaks; vgl. Koch 1980/1988, S. 206ff.; Maul 1985) beziehe sich nicht auf den Vatergott, sondern gehöre in dessen Umkreis. Der Übergang vom Kult der Vätergötter zur Jahwe-Verehrung sei nicht überall glatt verlaufen (Jos 24, 2; Gen 35, 2–4?). El Roi, El Olam, El Bethel, auch der El Elohe Jisrael (Gen 33, 20) stehen neben dem speziellen Vatergott. Die Verehrung des „Gottes meines Vaters" setze eine eigentümliche Wertung des Vaters voraus, vor allem, wenn es sich um einen Ahnherrn handelt. Koch führt zahlreiche außerbiblische Belege aus Texten von Ebla, von altassyrischen Handelskolonien in Kleinasien, von Mari und Ugarit für den „Gott des Vaters" an, den P nicht kenne. P verwende El Schaddai, wobei die Schaddajin der Der-Alla-Inschrift (8.–7. Jh.; vgl. Delcor 1989) religionsgeschichtlich ein jüngeres Stadium darstellen als die Belege für El Schaddai in Gen 49, Num 24 oder in der Vorlage für P. El Schaddai sei eine abgehobene Erscheinungsform für Jahwe. „Da P vielleicht nicht die Heilsgeschichte von J und E, wohl aber die von diesen verschriftete Erzväterüberlieferung kennt, hat der priesterliche Verfasser oder die ihm vorangegangene priesterliche Tradition den inzwischen unbekannt gewordenen Vatergott der frühen Sagen durch den zu seiner Zeit bekannten Schaddai ersetzt" (S. 30). „Eine religionsgeschichtliche Verortung der Gottesbezeichnung ‚der Gott meines/deines/seines Vaters' und (El) Schaddai weist in unterschiedliche Räume des 2. bzw. 1. Jt. v. Chr. . . . In beiden Fällen wird ein Numen vorgestellt, das neben einem andern, höheren Gottwesen sich speziell um die Familien und Sippen sorgt" (S. 319). Die Darlegungen Kochs sollten bei Zustimmung oder Ablehnung der These Alts kritisch berücksichtigt werden, was auch für seine Ausführungen zur Tendenz, Väterverheißungen für sekundär zu erklären, gilt: „Um das Thema ‚Verheißung' mit der Lebenswelt der angesprochenen Menschen in Beziehung zu setzen, hat biblische Theologie den historischen Ursprung dieser Idee aufzuweisen. Obwohl die Einzigartigkeit Israels begründend, entspringt sie einer verbreiteten Orakelpraxis bestimmter vorderorientalischer Sippennumina" (S. 30). Van Seters (1980) vertritt nicht die These Alts. Er möchte El Olam, der sich nach Dejkstra (1987) in Inschriften auf der Sinai-Halbinsel nicht nachweisen lasse, wie El Roi, der eine künstliche Bildung darstelle (vgl. Knauf 1985, S. 45ff.; Köckert 1988, S. 76f.; anders Kreuzer 1983, S. 249ff.), als exilische Formulierung verstehen (vgl. Jes 40, 28), die Jahwe mit der Universalgottheit El identifiziere. Radikal abgelehnt wird die These Alts u. a. von Diebner (1975) und besonders ausführlich unter Berücksichtigung der Forschungsgeschichte von Köckert (1988). Letzterer stellt vier Typen der Vätergottbezeichnungen heraus: A: der Gott des PN (= Personenname), z. B. der Gott Isaaks in Gen 28, 13; 46, 1. B: der Gott meines/deines Vaters, z. B. in Gen 31, 42. C: Kombinationen aus A und B, wie z. B. der Gott meines Vaters Isaak in 32, 10. D: Appelativum und PN: paḥad jiṣḥaq in 31, 42.53. Nur D gehe auf eine vorliterarische Überlieferung zurück (S. 56ff.). Aber selbst Gen 31, 42.53 sei keine Grundlage für die Vätergott-Hypothese, denn die Erwähnung des Mit- und Fürseins Gottes in 31, 42 sei eng mit 31, 3.5; 32, 10.13; 35, 3 zusammen zu sehen. Diese Verse jedoch seien auf 28, 20–22 bzw. 28, 15 bezogen, durch die der Jakob-Laban-Kreis mit dem von Jakob und Esau verknüpft werde; Gen 31, 53a sei überlieferungsgeschichtlich nicht primär, denn der „Gott Abrahams" und der „Gott Nahors" seien keine zwei Gottheiten, sondern der eine Gott ihres Vaters Terach. „Damit wird in 31, 53a die genealogische Zusammengehörigkeit der Sippe ‚Labans, des Aramäers' (25, 20; 28, 5; 31, 20.24) mit der Sippe Jakobs über die Ahnväter Nahor und Abraham als Söhne Tärachs hergestellt, wie sie in der sek. Genealogie 11, 27–32 und in dem Geschichtsaufriß Jos 24, 2 (dtr) vorliegt. Es erscheint deshalb wenig wahrscheinlich, daß V. 53 zum alten Bestand einer gewachsenen Erzählung gehört haben kann und in vorliterarische Zeit zurückgeht" (S. 59). Traditionsgeschichtlich ursprünglich seien nur der „Gott meines Vaters" in 31, 42 und der „Pachad seines Vaters" in V. 53b (S. 62). „Pachad Isaaks" sei keine Gottesbezeichnung; Köckert folgt hier Koch (1980/1988; vgl. Maul 1985).

Köckert hält El nur in Gen 33, 20 (El, der Gott Israels) und vielleicht in 46, 3 (ha-El, der Gott deines Vaters) für einen Eigennamen. El Roi und El Olam seien Epitheta Jahwes (S. 68). El Bethel meine den Gott, der in Bethel erschien (Gen 31, 13; S. 78). El Schaddai komme nur bei P vor (Gen 17, 1; 28, 3; 48, 3; Ex 6, 3). KNAUF (1985) ordnet diese Gottheit der Abrahamsippe zu. KÖCKERT lehnt im Wissen darum, daß Gottesbezeichnungen allein zur Rekonstruktion eines Religionstypus nicht ausreichen, die Väterreligion als nomadische Komponente der El-Religion ab. Die Väterreligion sei eine Familienreligion. Er kommt auf Grund seiner literarkritischen Untersuchung zu dem Schluß: „Weder allmähliches Zusammenwachsen ehedem selbständiger Numina aus grauer nomadischer Vorzeit noch nachträgliche Identifikation unterschiedlicher Religionstypen in Ex 3, sondern die literarische Verbindung disparater Überlieferungen hat hier wie dort Gestalt gewonnen. In dieser Hinsicht kann gelten, was als religionsgeschichtliche Wirklichkeit bestritten werden mußte: Vätergott und Väterverheißungen" (S. 323). LUDWIG SCHMIDT (1989) besprach KÖCKERTS Arbeit. Er weist im Sinne ALTS darauf hin, daß der „Gott Abrahams und der Gott Nahors" in 31, 53 durch den Zusatz „der Gott ihres Vaters" zu einer Gottheit gemacht werden sollten; die Septuaginta habe das Verb „sie mögen richten" in die 3. Person Singular geändert, um das Anstößige zu beseitigen. Der Plural der Gottheiten, der Späteren ein Problem bereitete, „spricht nicht gerade dafür, daß der Gott Abrahams und der Gott Nahors genannt werden, weil man (spät) eine Familiengeschichte darstellen wollte" (S. 418). Die späten Belege für El etwa in Jes 40–55 oder im Buch Hiob würden keine Traditionslücke zu einer frühen El-Verehrung durch die Väter aufreißen, denn „der Name Israel enthält das theophore Element El. Dann hat jene Menschengruppe, die ursprünglich als Israel bezeichnet wurde, doch wohl zunächst El verehrt" (zu „Pachad Isaaks" s. u. 5. 1). Die Kritik an KÖCKERTS Ergebnissen setzt erst ein. ZOBEL (1989) wendet sich in Fußnoten gegen KÖCKERT: Er bestreitet, daß man der Lebensweise der Protoisraeliten am Rande des Kulturlandes keinen eigenen Religionstyp zuweisen könne; Israel verstand sich selbst „als von außen in das Land der Verheißung gelangt zu sein"; späte literarische Bezeugung bedeute kein spätes Alter der bezeugten Sache (S. 342 f.). Der „Starke Jakob" in Gen 49, 23–26 sei eine Vatergottbezeichnung, denn der mittelpalästinische Stammesspruch (Joseph) lasse noch eine Verschmelzung mit dem El deines Vaters und mit El Schaddai, auch mit Jahwe erkennen; die Stufen des überlieferungsgeschichtlichen Wachstums seien am Text noch erkennbar (S. 349). Die Erzväter hätten bei ihrer Wanderung ins Land die El-Verehrung übernommen (El Roi, El Olam usw.). Der

Schlüsseltext sei Gen 33, 20; trotz religiöser Einebnung durch Jahwesierung seien „Rudimente der vorjahwistischen El-Religion erhalten" worden. Köckerts (S. 86f.) Übersetzung von El Elohe Jisrael mit „Gott ist (allein) der Gott Israels" in Analogie zu „Jahwe ist der Gott Israels" sei eine petitio principii, die die spätere Exodus-Überlieferung voraussetze (S. 351f.). Wie Ludwig Schmidt kommt auch Zobel auf den Pachad Isaaks zu sprechen, über den in 5.1 zu handeln ist.

5.1 Isaaks Gott

In der ursprünglichen Isaak-Überlieferung ist Jahwe Isaaks Gott. „Jahwe hat uns Weite geschaffen ..." (Gen 26, 22). In den (sekundären) Theophanien erscheint Jahwe, der sich auf Grund der genealogischen Verbindung mit Abraham in Beerscheba als der „Gott Abrahams, deines Vaters" vorstellt. Überlieferungsgeschichtlich liegt zugrunde, daß Jahwe im Süden schon vor Mose bekannt war (vgl. Werner H. Schmidt, 1983, S. 45ff. 113ff.; Axelsson 1987. 1988). Neben Kadesch war besonders Beerscheba ein Ort der Traditionsvermittlung (vgl. Fritz 1970). Albertz (1987) faßt zusammen: „Wichtig ist die Funktion, die Isaak als Garant der Gottesbeziehung für Jakob bekommt: Weil er der Gott seines Vaters Isaak bzw. seines Vorvaters Abraham ist, kann Jakob auf diesen Gott trauen (Gen 31, 42.53) bzw. steht er unter dem besonderen Schutz und der Verheißung dieses Gottes (28, 13). Diese primär familiär konstituierte Gottesbeziehung weist in den Erzählungen schon auf die enge personale Beziehung zwischen Jahwe und Israel, läßt aber vielleicht noch Reste einer früheren Stufe familiärer Frömmigkeit erkennen, so z. B. in der altertümlichen Gottesbezeichnung paḥad jiṣḥaq (Gen 31, 42.53). Nachdem dem Vorschlag von W. F. Albright, vom Palmyrenischen und Arabischen her den Ausdruck als ‚Verwandter Isaaks' zu deuten ..., von D. R. Hillers die sprachliche Basis entzogen worden ist, muß man wohl wieder zu der alten Deutung ‚der (numinose) Schrecken Isaaks' zurückkehren; die von K. Koch vorgeschlagene Deutung ‚Zeugungslied Isaaks' paßt zur Not auf Gen 31, 53, müßte aber für 31, 42 den Tradenten ein grobes Mißverständnis unterstellen" (S. 294). Die Bezeichnung „Gott Isaaks" findet sich nur in 28, 13; in 46, 1 bringt Israel in Beerscheba Schlachtopfer (auf dem Altar von 26, 24–25a?) „dem Gott seines Vaters Isaak" dar, der sich anschließend als „ha-El, der Gott deines Vaters" vorstellt. In 31, 42 beteuert Jakob in Gilead gegenüber Laban: „Wenn nicht der Gott Abrahams und der paḥad jiṣḥaq für mich gewesen wäre ...", wobei die beiden Größen in Parallele gesetzt werden, also paḥad jiṣḥaq als Vatergott verstanden wird (vgl. LUDWIG SCHMIDT 1989, S. 418), ob er nun durch einen Gegenstand (vgl. 31, 30ff.: der Teraphim = „mein Gott") repräsentiert wird oder nicht. Nach 31, 53b schwört Jakob „beim paḥad seines Vaters Isaak". Hier könnte an einen Phallus – kaum in Form der vorher genannten Mazzebe – gedacht sein (vgl. KOCH 1980/1988; MALUL 1985: ",the thigh of Isaac' . . . symbolizes the family and ancestral spirits of Isaac"; S. 200). Wie ALBERTZ bleibt PUECH (1984) bei «la crainte d'Isaac» = „Schrecken Isaaks". Ob diese numinose Gottheit mit dem sprachlich anders ausgedrückten Gottesschrekken in 35, 5 (ḥittat 'lohim) in Beziehung gebracht werden kann? WESTERMANN (1981) möchte im Anschluß an KNOPF (1950) den paḥad jiṣḥaq (vgl. Num 26, 33; 27, 1.7; 36, 6.10f.: Zelo-phchad = Schatten des Pachad) „mit Vorbehalt bis zu neuen Erkenntnissen" als „Schutz Isaaks" verstehen (S. 607). LEMAIRE (1978) sieht mit Hinweis auf Zelophchad in paḥad den Vatergott der Söhne Jakobs im Land Hepher im Bereich des Wadi Far'ah, die in die Konföderation der Söhne Israels im nahegelegenen Sichem integriert wurden. Der Manassit Zelophchad lebte allerdings im Ostjordanland (vgl. SEEBASS 1982), was zu dem in Gilead bezeugten paḥad jiṣḥaq passen würde. Bedenkt man, daß bei der Abrenuntiation im Sichem – Jahwe wird nicht erwähnt (anders Jos 24, 23) – alles Mögliche wie Ohrringe (auch Teraphim? vgl. Gen 31, 20ff.) unter der Terebinthe vergraben wurde (Gen 35, 2–4), könnte auch ein Phallus dabei gewesen sein. Wenn der in Gen 31, 42.53 vorkommende paḥad jiṣḥaq nicht bilderlosen monolatrischen bzw. monotheistischen Tendenzen sprachlich zum Opfer fiel, so könnte dies in der Gleichsetzung des paḥad jiṣḥaq mit dem Gott Abrahams seinen Grund haben. Da aber der Bezug auf den Gott Abrahams, der außerhalb des Pentateuch nur in Ps 47, 10 für die vorexilische Zeit bezeugt ist (vgl. JEREMIAS 1987, S. 67ff.; anders ZENGER 1989), in der Isaak- und Jakoberzählung überlieferungsgeschichtlich sekundär ist, bleibt in Gen 31, 42.53 als ursprüngliches Element nur der paḥad jiṣḥaq. Dies schließt nicht aus, daß der „Gott Abrahams" und der „Gott Nahors" als zwei Vatergötter verstanden und nachträglich durch den Zusatz „der Gott ihrer Väter" singularisiert wurden; der ältesten Überlieferungsstufe dürfte aber die Bezeugung der Götter Abrahams und Nahors nicht angehören; sie setzt voraus, daß der Aramäer Laban gemäß der Genealogie 22, 20ff. als Nahoride – und damit mit Abraham verwandt – verstanden wurde (nach Gen 10, 22 war Aram als Stammvater der Aramäer ein Sohn Sems). In bezug auf El Roi und El Olam (Gen 16, 13; 21, 33; vgl. LEINEWEBER 1980, S. 183ff.) ist zu sagen, daß eine Verehrung durch Isaak oder seine Sippe nicht ausdrücklich bezeugt ist; möglich ist sie, zumal beide Gottheiten mit Jahwe gleichgesetzt wurden. Die Annahme HOLZINGERS (1898, S. 163), daß nicht Abraham, sondern Isaak die Tamariske in Beerscheba gepflanzt und Jahwe als El Olam angerufen habe, hat zwar viel für sich, läßt sich aber kaum wahrscheinlich machen, geschweige denn „beweisen“. Abgesehen davon, daß der Name ursprünglich jiṣḥaq-el gelautet haben dürfte, ist es gut möglich, daß der Gott Isaaks eine El-Gottheit war (vgl. Gen 46, 3: „Ich bin ha-El, der Gott deines Vaters . . .“). In dem priesterlichen Segenswunsch Gen 28, 3f. nennt Isaak El Schaddai (vgl. 17, 1; 35, 11; 48, 3; Ex 6, 3). KÖCKERT (1988, S. 79) hat zweifellos recht, wenn er die Diskussion um die Etymologie von Schaddei als uferlos empfindet. KNAUF (1985) ordnet diese Gottheit der Abrahamsippe zu. Wichtiger als die Frage der Etymologie ist der Vergleich mit den Schaddajin in der ammonitischen Inschrift von Der-Alla (vgl. KOCH 1988; DELCOR 1989). Bei der Frage, ob die Väterreligion eine nomadische Existenzform voraussetzte oder als persönliche Religion nur eine familiär geprägte Gesellschaftsstruktur (vgl. u. a. BLUM 1984, S. 495ff.; KÖCKERT 1988, S. 103ff. 115ff.), sind vor der Überstülpung von religionssoziologischen Modellen die Vätererzählungen selbst zu untersuchen; als Familiengeschichten mit nationaler und völkergeschichtlicher Komponente (vgl. BLUM 1984, S. 501ff.) ist eine je exklusive nomadische oder seßhafte Lebensform – abgesehen von den dimorphen Übergängen (vgl. ROWTON) – ohnehin fragwürdig. Isaak lebte nach Gen 26 mehr nomadisch als seßhaft. Seine Sippe – der Stamm Simeon? – tradierte rekreativ (vgl. KIRKPATRICK 1988) die weltlich-religiösen Überlieferungen, auch nach seiner Seßhaftwerdung. Infolgedessen sind die religiösen Traditionen familiärer, randnomadischer Herkunft, auch unter den Bedingungen familiärer seßhafter Existenz – vielleicht von Priestern in Beerscheba – gepflegt und in Form von konstitutiven („kanonischen“) Texten überliefert worden. Bei der Jakob-Überlieferung läßt sich durch Hos 12 nachweisen, daß sie im Nordreich zur familiären Volksreligion gehörte. Ob dies auch für die Isaak-Überlieferung galt, kann auf Grund der Bezeugung des „Hauses Israel“ in Am 7, 9.16 angenommen werden. Die Isaak-Jakob/Israel-Überlieferung wurde in Juda verstärkt nach dem staatlichen Untergang des Nordreiches rezipiert und mit der Abraham-Überlieferung vereint. WESTERMANN (1981) hat sicherlich richtig gesehen, daß „in der Zeit der Bedrohung und des Zusammenbruchs des Staates . . . die Vätertraditionen wieder an die Oberfläche“ kommen. „Dtjes spricht wieder von Abraham und Sara; im Exil wird die Familie wieder der die Kontinuität Israels bewahrende Traditionsträger, das zeigen die Priesterschrift und das Buch Tobit“ (S. 703). M. E. dienten in spätköniglicher und exilischer Zeit die Jakob- und Isaak-Überlieferung in Juda als Katalysator – die Isaak-Überlieferung z. T. auch als Quelle – zur Entfaltung und Ausgestaltung der Abraham-Überlieferung, auf die sich – vermutlich – das geringe Volk des Landes zwecks Landanspruchs berief (vgl. Ez 33, 24; vgl. Herbert Schmid 1980). Der überlieferungsgeschichtliche Ausgangspunkt war in Anbetracht der ursprünglichen Eigenständigkeit des Patriarchen Israel und seiner Gruppe in der Region von Sichem (vgl. Seebass 1966) der „El Gott Israels“ (Gen 33, 20), der die persönliche Bindung als wesentliches Merkmal des Vatergottes enthält. Hermissons (1974, S. 247f.; vgl. Bauer 1989) Vergleich des „Gottes Jakobs“ und des „Schrecken Isaaks“ mit der als „Mann“ auftretenden Gottheit am Jabbok, die Jakob in Israel umbenennt, zeigt, daß Gottesbegegnungen die personale Bezeichnung nachhaltig geprägt haben (Gen 32, 23ff.). Trotz der Begegnungen Gottes mit Mose (vgl. Herbert Schmid 1986) kam es nicht zur Bezeichnung „der Gott Moses“ (vgl. jedoch Ex 15, 2: „mein El“; 18, 4: „der Gott meines Vaters . . .“). Was sich auch immer religionsgeschichtlich hinter dem „Schrecken Isaaks“ verbirgt, bedeutsam ist die theologische Rezeption. Ludwig Schmidt (1989) setzt die Formulierung in Gen 31, 42 „der Gott meines Vaters, der Gott Abrahams und der pḥd jṣḥq“ in Parallele zu „der Gott deines Vaters, der Gott Abrahams, der Gott Isaaks und der Gott Jakobs“ in Ex 3, 6. Hier wird „der Gott deines Vaters durch einen Hinweis auf den Gott der Erzväter erläutert“ (S. 418). Der urtümliche „Schrecken Isaaks“ ist demnach (gegen Koch 1980/1988) als Vatergott verstanden worden. Anhangsweise sei noch darauf verwiesen, daß im Gegensatz zur Bezeichnung „Gott Israels“ (Gen 33, 20) die Bezeichnung „Gott Jakobs“, obgleich sich die Brüder gegenüber Joseph untertänig „Knechte des Gottes deines Vaters“ nennen, in der Vätergeschichte nicht vorkommt (in 49, 24f. wird der „Starke Jakobs“ mit dem „Hirten des Steins Israels“ gleichgesetzt, der der „El deines Vaters“ = Schaddai ist). Es müßte untersucht werden, warum „Gott Jakobs“ als Gott des Volkes vor allem in Jerusalemer Tradition bezeugt ist (2Sam 23, 1; Jes 2, 3=Mi 4, 2; Ps 20, 2; 46, 8; 76, 7; 84, 9; 132, 2.5; 114, 7: „Eloah Jakobs“; 146, 5: „El Jakobs“; vgl. Zobel 1982, Artikel ›ja^{a}q(o)b‹ in ThWAT 3). Trotz gelegentlicher Wendungen wie „Gott Elias“ (2Kön 2, 14;), „Jahwe, Gott Davids, deines Vaters“ (2Kön 20, 5), „Gott Daniels (Dan 6, 27) ist es bemerkenswert, daß die Bezeichnung Gott + Eigenname vor allem bei Ahnherren (in 2Kön 20, 5 ist David der Ahnherr der Dynastie) gebraucht wird. Dazu paßt die Wendung „Gott Sems“ in dem Völkerspruch Gen 9, 26f.

Es entstand aber nicht die Triade „Gott Sems, ... Hams und ... Japhets".

5.2 Der Gott Abrahams, Isaaks und Jakobs

Die Trias der Erzväter ist überlieferungsgeschichtlich entstanden. Ihnen ist Gott erschienen, nicht den zwölf Söhnen Israels/Jakobs, auch nicht Joseph, obgleich die Josephserzählung zur Erzvätergeschichte gehört. In liturgisch geprägten Wendungen klingt das Prinzip der Dreiheit an: Jakob betet zu seinen Vätern Abraham und Isaak und damit zu Jahwe (Gen 32, 20; vgl. SCHREINER 1989). In dem Segenswunsch Israels an Joseph möge der Gott, vor dem Abraham und Isaak wandelten, der ihn (= Israel) geweidet hat, und der Engel, der ihn erlöst hat, die beiden Josephsöhne Ephraim und Manasse segnen (Gen 45, 18f.; vgl. WESTERMANN 1982, S. 213f.). Die Trias der Patriarchen erscheint zum ersten Mal in dem (deuteronomisch geprägten; vgl. Dtn 1, 8 u. ö.) Landschwur in Gen 50, 24 (vgl. Gen 22, 16; 24, 7; 26, 3). Nach P gedachte Gott an seinen Bund mit Abraham, Isaak und Jakob (vgl. Lev 26, 42; 2Kön 13, 23). Jahwe erschien Abraham, Isaak und Jakob als El Schaddai (Ex 6, 3 P). Werden die Belegstellen für den Gott der drei Väter dem Jahwisten (Ex 3, 16; 4, 5; vorbereitet durch Gen 28, 13; 32, 10) oder dem Elohisten (Ex 3, 6. 15) zugeschrieben, so geht die Entstehung der Triade in die frühe Königszeit oder sogar früher zurück. WERNER H. SCHMIDT (1988) schreibt: „Zwar ist der Name ‚Gott Abrahams, Isaaks, Jakobs', der die genealogische Verbindung der Erzväter voraussetzt, wohl erst in Palästina aufgekommen, doch wird es schon in früherer, nomadischer Zeit Berührungen zwischen Väterglauben und Jahweverehrung gegeben haben" (S. 150). Nach MÖLLE (1980, S. 284f.) ist die Trias in Jos 24, 3f. elohistisch (vgl. SPERLING 1987). Die Frühdatierung der Bezeugung der Erzvätertrias gerät nicht nur durch eine späte Ansetzung der Quellen ins Wanken, sondern wenn bei Festhalten an der Urkundenhypothese die Belegstellen für sekundär erklärt werden. So schreibt W. H. SCHMIDTS Schülerin KOHATA (1986) Ex 3, 6b einem Redaktor von J und E zu; die Begründung ist allerdings vage: „V. 6bß ist schon wegen der Gottesbezeichnung schwer auf J zurückzuführen" (S. 17); redaktionell seien auch die sonst E zugeschriebenen V. Ex 3, 15 und 4, 1–6 (S. 22f. 372). WEIMAR (1980) führt die Vätertrias, wie die Synopse im Anhang zeigt, auf den letzten Pentateuchredaktor (R^p) zurück. Die Einfügungen seien durch die priesterschriftliche Aussage vom Bund Gottes mit Abraham, Isaak und Jakob angeregt (S. 341). „Wie schon für P^G (vgl. Ex 6, 3) liegt auch für R^P in der Berufung des Mose – bei aller Kontinuität, wie sie gerade auch in der Identifizierung Jahwes mit dem Gott der Väter angezeigt ist – deutlich der Beginn einer neuen Phase der Geschichte. Von daher erklärt sich dann auch, daß sich die triadische Wendung 'Gott Abrahams, Gott Isaaks und Gott Jakobs' im Pentateuch nur im Zusammenhang mit der Berufung des Mose findet" (S. 341f.). Außerhalb des Pentateuch begegnet die Wendung „Gott Abrahams, Isaaks und Israels" nur in 1Kön 18, 36; 1Chron 29, 18; 2Chron 30, 6. Die drei Väter kommen als Empfänger des Landverheißungseides in Gen 50, 24; Ex 33, 1 und Num 32, 11 vor. Nach WEIMAR (S. 342) handelt es sich dabei um Einschübe von R^P und um deuteronomistische Einschübe („Väter" vorangestellt) in Dtn 1, 8; 6, 10; 9, 5; 29, 12; 30, 20; 34, 4. Nach KOHATA (1986, S. 31f.) ist die Zusage des Landes durch Handerhebung in Ex 6, 8 nicht priesterlich, sondern deuteronomistisch, was bedeuten würde, daß P von einem Deuteronomisten überarbeitet wurde. Zu Ps 105, 8ff. = 1Chron 16, 16ff. ist der Beitrag von FÜGLISTER (1989) instruktiv. WEIMAR, auch KOHATA vertreten damit hinsichtlich der Datierung der Vätertrias die Sicht VAN SETERS' (1972): daß "the confession of Yahweh as the god of the patriarchs and the association of the promises of the Fathers with the patriarchs is a specific development during the exilic period and directly related to the needs of that period" (S. 459).

Selbst wenn die Wendung von dem Gott der drei Väter literarisch erst spät bezeugt sein sollte, so dürfte die Genealogie der Väter, genauer die Voranstellung Abrahams als des Vaters (vgl. Jes 41, 8; 51, 2;43, 27?) vor Isaak und vor Israel/Jakob, dem Ahnherrn der zwölf Stämme, früher erfolgt sein, und zwar im Zusammenhang mit der Rezeption von Überlieferungen aus dem Nordreich nach dessen staatlichem Untergang im Jahr 722, als viele Flüchtlinge nach Juda übersiedelten und z. B. das Buch Hosea, das die Jakob-Geschichte voraussetzt (Kap. 12), in Juda bearbeitet und herausgegeben wurde. Josias Übergreifen auf Gebiete und Bevölkerung des ehemaligen Nordreiches machte eine Integration der Vätertraditionen aus dem Nord- und Südreich notwendig, zumal in diesen familiäre, nationale und internationale Aspekte verschmolzen sind (vgl. REVENTLOW 1977). Ähnlich wie bei den Datierungsversuchen von Quellen(schichten) oder den Kompositionen und redaktionellen Bearbeitungen von Erzählkränzen (RENDTORFF 1977; BLUM 1984) dürfte man über Möglichkeiten kaum hinauskommen. Jedenfalls hatte die Vorstellung von dem Gott Abrahams, Isaaks und Israel/Jakobs, die mit der von Jahwe, dem Gott Israels gleichgesetzt wurde, eine integrative Wirkung. Die personale

Zuwendung des Gottes der Väter ist zwar kein ausschließlicher Zug, dennoch ist sie charakteristisch, wie die den Vätern und ihren Nachkommen geltenden Verheißungen typisch sind. Nach dem wahrscheinlich vorexilischen Gottkönigspsalm 47 versammeln sich im Tempelbezirk die Edlen der Völker als Volk des Gottes Abrahams, der zugleich als Jahwe Eljon furchterregend der König über die ganze Erde ist (vgl. Jeremias 1987; Zenger 1989 hält die Grundschicht des Psalms V. 2–3a. 6–8a. 9 für vorexilisch; der den Gott Abrahams nennende V. 10 gehe auf eine nachexilische Bearbeitung zurück).

6. ABSCHLIESSENDE ERWÄGUNGEN

6.1 Zur Methodik der Literar- und Überlieferungskritik

Obgleich in den vorausgehenden Untersuchungen wegen der sprachlichen Schwierigkeiten kaum auf Textkritik eingegangen wurde, sei hier auf einige vom masoretischen Text abweichende Lesarten in der Septuaginta (G = Graeca) hingewiesen, die in Gen 26 offenkundig alte exegetische Tendenzen zum Ausdruck bringen. Statt „alle diese Länder" übersetzt G „dieses ganze Land" (d. h. das ganze „gelobte Land"), was zweifellos eine Vereinfachung gegenüber dem hebräischen Text darstellt. G setzt in den V. 5 und 24b hinter Abraham „dein Vater" hinzu, wodurch die Abhängigkeit Isaaks, die alle Abraham nennenden Verse beabsichtigen, verstärkt wird. Während der hebräische Text in V. 22bβ: lautet: „auf daß wir im Lande fruchtbar seien", übersetzt G: „und er (= der Herr) uns vermehre auf der Erde" im Einklang mit 28, 3 (P). Im hebräischen Text heißt es in V. 31a in bezug auf Isaak und Abimelech wörtlich: „Sie schwuren, einer seinem Bruder . . ." Da G ein brüderliches Verhältnis mit dem Philisterkönig offensichtlich zu weit ging, übersetzte sie „. . . seinem Nächsten" (= "to plesion autou"). Während derartige textkritische Beobachtungen und Folgerungen – die letzte findet sich kaum in Kommentaren – relativ sicher sind, trifft dies weder bei synchronen noch gar bei diachronen literarkritischen Ergebnissen zu. Dies hat seinen Grund z. T. in den Prämissen. Synchrone Literarkritik neigt dazu, eine harmonische, geradezu ästhetische Einheitlichkeit vorauszusetzen und etwa Entsprechungen zwischen Gen 26 und 34 festzustellen: Das zweite und (angeblich) vorletzte Kapitel des Jakob-Zyklus seien jeweils retardierende Interludien mit zahlreichen scheinbaren Analogien. Linguistische Untersuchungen liegen erst als Programm oder ansatzweise vor (vgl. dazu Fohrer 1988, S. 253; Schweizer 1988).

Diachrone Literarkritik achtet auf Merkmale von Uneinheitlichkeit, um entsprechend einem vorgegebenen „Modell" Quellen, Schichten, Redaktionen oder Erzählkränze und Bearbeitungen bzw. Bearbeitungsschichten festzustellen. Beide Methoden sollten sich gegenseitig kontrollieren und ergänzen. Dabei zeigt es sich, daß Gen 26 als Einschaltung sowohl synchroner Einordnung Schwierigkeiten bereitet als auch diachroner, weil der Zusammenhang offensichtlich unterbrochen wird. Gen 26 ist eine eigene Komposition, die durch „Abraham" und Verheißungen mit dem Vorausgehenden in Verbindung steht. Erfreulich ist, daß sich die eigentliche diachrone und synchrone Auslegung selbst oft wenig unterscheiden. Mit Recht wird heute die kanonische „Letztgestalt" des Textes – eine frühere gibt es nicht! – betont. Eine rein synchrone Auslegung verfehlt die Tiefendimension; eine diachrone Auslegung sollte nicht den kompositorischen Zusammenhang übersehen. Setzt diachrone Auslegung Quellen, Schichten, Erzählkreise usw. hypothetisch voraus, so sollten diese Hypothesen vom Text her in Frage gestellt werden. Dabei können übergeordnete Erwägungen eine Rolle spielen, wie etwa: Wird bei dem heutigen Trend der Spätdatierungen (auch von prophetischen Texten, Psalmen usw.) der nachexilischen Zeit zu viel literarische Produktivität zugemutet? Wenn – wie zahlreiche Inschriftenfunde aus der Königszeit belegen – in dieser Epoche das Schreiben sehr üblich war, wurden dann nicht auch konstitutive religiöse Traditionen, Gesetze usw. in vorexilischer Zeit schriftlich fixiert? Da die priesterliche Quelle(nschicht) auf Grund der Mischehenproblematik in Gen 27, 46–28, 9 nachexilisch sein dürfte, ergeben sich von ihr aus Möglichkeiten diachroner Forschung. Dabei müssen immer wieder sowohl die zeitliche Ansetzung von P als auch ihre Einheitlichkeit überprüft werden. Die für die Vätergeschichte typischen Verheißungen stellen ein besonderes Problem dar. Wenn sie nachträglich eingefügt worden sein sollten, ist nicht nur ihr eigentümlicher „Sitz in der Literatur", sondern auch ihr „Sitz im Leben" als orakelhaft-prophetische Äußerungen zu erforschen (vgl. Koch 1988, S. 31).

Stärker im Blick auf die konventionelle Quellenscheidung als im Blick auf überlieferungsgeschichtliche Ergebnisse, die von Natur aus unterschiedlich ausfallen, wird wiederholt – oft mit Bedauern – festgestellt, daß ein Konsens verlorengegangen sei. Bedenkt man, daß es objektiv nicht möglich ist, Quellenschichten (abgesehen von P) sicher auszugrenzen und zu datieren, so gewinnt man den Eindruck, daß ein nicht möglicher Beweis durch eine Übereinstimmung von Gelehrten ersetzt werden soll. Ein Konsens, gewiß durch Argumente gestützt, durch nachlassende „Autoritätsgläubigkeit" in Frage gestellt, ist auf dem Gebiet der Wissenschaft keine sichere Grundlage. Infolgedessen ist es nicht verwunderlich, daß Arbeitshypothesen, die durch längere Bewährung zu Thesen werden, für viele plötzlich zusammenbrechen, von anderen aber verteidigt und abgewandelt werden. Westermanns (1975/²1987, S. 34) Frage, die er offen ließ, „ob es einmal einen selbständigen Kreis von Isaak-Erzählungen gab", ist gar nicht sicher zu beantworten. Es ist unbeweisbar, daß etwa 26, 12–22 aus einem größeren Zyklus stammt. Das Kapitel (ohne V. 34f. P) ist eine eigenständige Komposition, die wahrscheinlich schon vor der priesterlichen Bearbeitung im Zusammenhang der Jakobgeschichte auf die Abrahamerzählung bezogen war. Für eine Einarbeitung und Strukturierung des Ganzen sprechen die priesterlichen Notizen 25, 19–20. 26b und 26, 34–35. Die beiden letztgenannten Verse, die Esaus Alter von 40 Jahren bei seiner Heirat mit zwei Hethiterinnen zum Leidwesen der Eltern nennen und sachlich in Parallele zu der Notiz über Isaaks Alter von 40 Jahren bei der Heirat mit Rebekka stehen (25, 20), wurden m. E. bewußt vor Gen 27 (in einer gewissen Entsprechung zu 25, 27f.) eingefügt, um durch ein Konfliktmotiv die Segnung Jakobs anstelle Esaus gerechtfertigt erscheinen zu lassen (Gen 27) und um die Entsendung und Segnung Jakobs durch Isaak auf Rebekkas indirekte Anregung hin (27, 46–28, 5) vorzubereiten. Nachdem Esau noch eine Ismaeliterin geheiratet hatte (25, 6–9 P), „verließ Jakob Beerscheba und ging nach Haran" (28, 10). P ließ Jakob allerdings nicht zu Isaak nach Beerscheba, sondern zu dessen Beisetzung durch ihn und seinen Bruder Esau nach Mamre zurückkehren (35, 27–29), wo alle Patriarchen, auch Sara, Rebekka und Lea bestattet wurden (49, 29ff.). Die Isaak-Komposition (Gen 26) wurde in den Jakob-Esau-Laban-Zyklus aufgenommen, der – wie die Abrahamgeschichte – durch P ergänzt und überarbeitet wurde, wobei Gen 17; 21, 2b–5; 23; 25, 7–11. 12–18. 19–20. 26b; 26, 34–35; 27, 46–28, 9 . . . 35, 9–13. 15 . . . 27–29 sprachlich und sachlich als Bearbeitung und als Schicht in einem Zusammenhang stehen, der eine eigene Konzeption aufweist (vgl. Ex 2, 23bß–25; 6, 2ff.). Sind die Verheißungen in 22, 15–18; 26, 3aß–5. 24–25a später als P eingefügt? Dies ist m. E. unwahrscheinlich, wenn auch nicht unmöglich. Ob die Formel „Erzählkränze, Erzählkomposition (Gen 26), priesterliche Bearbeitung und Schicht" Ansätze zu einem „Modell" sein könnten, sei dahingestellt. Von Gen 26 aus gewinnt man diesen Eindruck.

Überlieferungsgeschichtliche Forschung, die von literarkritisch untersuchten Texten ausgeht, kann nicht anders als spekulativ sein, wobei nicht beweisbare mündliche (und schriftliche) Tradition vorausgesetzt wird. Friis (1985) glaubt, „daß die israelitische Vorgeschichte während des Exils oder kurz danach ausgestaltet wurde, um dem besonderen Bedarf jener Zeit zu genügen" (S. 7; vgl. 1984). Strenggenommen werden ältere Traditionen dabei nicht ausgeschlossen. Wie kam es zur Ausbildung der Isaak-Überlieferung? Rein hypothetisch könnte man folgendermaßen argumentieren: Der Name Isaak stamme aus Am 7,

9.16. Da man aus einem in exilisch-nachexilischer Zeit liturgisch bedingten triadischen Zwang außer Abraham (Ps 47) und Jakob (Hos 12) eine dritte Vatergestalt brauchte, habe man Isaak als „link“ zum Sohn Abrahams und Saras (Jes 51) und zum Vater von Jakob und Esau gemacht, mit Stoffen aus der Abrahamüberlieferung angereichert und schließlich Gen 26 in den Kontext eingeschoben, um nachexilischen Bedürfnissen entgegenzukommen (vgl. HAUGE [1975], The Struggles of the Blessed in Estrangement). Selbst wenn man von einer solchen Konstruktion im großen und ganzen überzeugt wäre, ergäben sich Schwierigkeiten: Wieso trat der auf Grund von Am 7, 9.16 ausgestaltete Isaak nicht im Gebiet der Samaritaner, sondern im Negev auf, der in nachexilischer Zeit weitgehend den Idumäern gehörte? Wie steht es mit dem „Sondergut“ in Gen 26, das nicht aus der Abraham-Erzählung stammt (V. 12–22)? Derartige kritische Fragen ließen sich vermehren. Kritische Fragen können freilich auch in bezug auf eine frühe Überlieferungsgestalt Isaak erhoben werden! Spätdatierung von Quellen(schichten) oder der ganzen Ursprungsgeschichte Israels werfen einen garstigen historischen Graben auf, denn "oral societies . . . do not keep accurate records of events over extended periods of time (i. e. more than 150 years"; KIRKPATRICK 1988, S. 113f.). Das vorstaatliche Israel war keine reine "oral society" (vgl. Ri 8, 14), es wäre eine eklatante petitio principii, wollte man Gen 26, 12–22 um etwa 1050 ansetzen; dies überträfe Frühdatierungen des Jahwisten: es müßte sich dann schon um eine jahwistische Vorlage oder dergleichen handeln (vgl. LEMAIRE 1989).

Die formgeschichtliche Frage ist von VAN SETERS (1983. 1987) in bezug auf den späten Jahwisten (als Historiker) und von WHYBRAY (1987) in bezug auf den Pentateuch aufgeworfen worden (vgl. CRÜSEMANN 1989). Beide verstehen das Werk des späten Jahwisten bzw. den Pentateuch als Ursprungsgeschichte im Rahmen antiker Historiographie. Die formgeschichtliche Frage sollte bei Schichten bzw. Erzählkreisen, auch bei eigenständigen Kompositionen wie Gen 26 gestellt werden. Dabei zeigt sich, daß in Form einer Wanderung Ansprüche auf Land erhoben und vertragliche (völkerrechtliche) Vereinbarungen getroffen werden. Gen 26 ist ein für die Isaakgruppe und alle ihre Nachkommen konstitutiver („kanonischer“) Text.

An der Erforschung des Alten Testaments sind im Vergleich zur Arbeit an außerbiblischer Literatur der Umwelt sehr viele beteiligt. Dies führt einerseits zu Trends („Moden“ nach FOHRER 1988) und Schulbildungen (LOHFINK 1988 zitiert ohne Namensangabe das bissige Wort von „Evidenzgemeinschaften und Zitationskartellen“; S. 639), andererseits zu einem Zwang, etwas Neues (bzw. scheinbar Neues) entdecken zu müssen. Ob die dabei angewandte scharfe Logik einer Traditionsliteratur ganz angemessen ist (vgl. WHYBRAY 1987)? Kommt es dabei nicht leicht zu falschen Alternativen, wie „Schicht" oder „redaktionelle Bearbeitung"? Auf ein analytisches Vorgehen sollte ein synthetisches, ganzheitliches ("holistic"; vgl. RENDTORFF 1988. 1989) folgen, ohne die Ergebnisse der Analysen zu übersehen.

6.2 Zur Väterreligion

Es geht nicht nur um die Bezeichnungen und Namen für den Gott des jeweiligen Ahnvaters. Aspekte im Rahmen der persönlichen Familien- und Volksreligion sind religionsgeschichtlich, auch ethnologisch (SIGRIST und NEU 1989) zu untersuchen. Zur Religion gehören die Religiosität und religiöse Praxis, wie die Fürbitte Isaaks bei Kinderlosigkeit und die Einholung eines Orakels durch Rebekka (Gen 25, 21 f.), Segnungen (Gen 27) u. a. m. Liegt der Väterverehrung ein Ahnenkult zugrunde (vgl. LORETZ 1978; KOCH 1980. 1988 und MALUL 1985 zu paḥad jiṣḥaq)? Religionswissenschaftliche Fragestellungen sollten aufgegriffen werden, wenn auch z. B. Gen 26, 12–22 nur wenig „religiös" erscheint. Der „Sitz im Leben" der Verheißungsreden (Orakelpraxis? Prophetie?) ist nicht nur literar- und traditionskritisch, sondern auch religionswissenschaftlich zu eruieren. KOCH (1988) fordert mit Recht religionsgeschichtliche Untersuchungen im Rahmen alttestamentlicher Theologie.

6.3 Zur Theologie

Biblische Theologie zeichnet sich durch ihren Realitätsbezug aus. Dieser kommt – mit oder ohne vorausgehender Verheißung – in Isaaks Erfahrung in Rechobot zum Ausdruck, daß Jahwe Lebensraum geschaffen hat (Gen 26, 22). Abimelech erkennt selbst, daß Jahwe mit Isaak ist und ihn segnet. Theologie schließt Anthropologie ein: Abimelech schützt als philistäischer König Isaak und Rebekka; den durch Segen Reichgewordenen weist er auf Grund des Neides der Philister und eigener Befürchtungen aus, sieht aber nach Brunnenstreitigkeiten seiner Hirten mit dem Fremden in Isaak den Gesegneten Jahwes, der sich mit ihm „völkerrechtlich" (brüderlich) einigt. Gen 26 ist nicht nur durch den Landanspruch und die vertragliche Regelung konstitutiv, sondern auch durch die „Theologie des Segens“ (Brueggemann 1982) und der damit verursachten anthropologischen Verhaltensweisen. Ist Gen 26 eine Komposition, so ergibt sich daraus sozusagen eine „Theologie der Komposition“.

Ist Theologie eine Form der Ideologie? Das Forschungsergebnis, daß Verheißungen nachträglich eingefügt wurden, um z. B. den Landanspruch des Volkes zu begründen, legt diese Schlußfolgerung nahe (vgl. Garbini 1988). Um so dringlicher ist die Erforschung des realen „Sitzes im Leben“ der Verheißungsreden. Damit können religionskritische Fragen nicht im Sinne einer Offenbarungstheologie abgetan werden. Man sollte sich aber darüber im klaren sein, daß ein Verlust des in den Texten vorausgesetzten Realitätsbezuges zum Wirklichkeitsverlust in der Theologie führen kann, der bekanntlich auch für eine Ideologie bedrohlich wird.

6.4 Zur Praktischen Theologie

In der alttestamentlichen Wissenschaft geht es um das Alte Testament vornehmlich für den Dienst zukünftiger Pfarrer und Religionslehrer. Zenger (1987) legt aus guten Gründen „die neuere Diskussion um den Pentateuch und ihre Folgen für die Verwendung der Bibel im Religionsunterricht“ dar. Er spricht dabei von einer „Pentateuchkrise“; kritisch – und vor allem selbstkritisch (vgl. meinen Untertitel 1986) – ist zu sagen, daß die Krise nicht den Pentateuch, sondern die Pentateuchforschung betrifft! Zenger legt seine abgewandelte Urkundenhypothese vor (J um 950, wurde fortgeschrieben; E als Bearbeitungsschicht aus dem Nordreich; JE; P um 520, wurde fortgeschrieben; JE und $P^{G/s}$ vereint z. Z. Esras) und zieht Folgerungen für den Religionsunterricht, die auch für die Predigtpraxis gelten: (1) Die Letztgestalt des Textes sei „einzusetzen“; (2) wo es unausweichlich oder theologisch relevant ist, soll auf Schichtungen im Text anhand eines Modelles, das als Hypothese zu kennzeichnen ist, hingewiesen werden; (3) Textschichtungen sollen nur ungefähr unter sozial-, institutions- und religionsgeschichtlichem Aspekt zeitlich eingeordnet werden; (4) Hypothesen, die dem Textverständnis nicht dienen („was Exeget NN derzeit über die Entstehung des Textes denkt“) sind zu vermeiden. Für die praktische Theologie kann eine semiotische Auslegung hilfreich sein. Dies gilt besonders für sozialgeschichtliche Exegese (vgl. Alonso Schökel 1988). Entgegen der verbreiteten Meinung, daß die Patriarchen mehrere Frauen und Nebenfrauen hatten – was sich bei

Abraham und Jakob nicht bezweifeln läßt -, lebten Isaak und Rebekka monogam. Die Priesterschrift (vgl. Gen 1, 26ff.; 7, 13) führt bei Abraham und Jakob keinen "marriage report" an, dagegen bei Isaak (25, 20; Esaus Ehe mit zwei Hethiterinnen wird als Mischehe beanstandet: 26, 33f.; vgl. 28, 6–9). Ob es „feministische" Anerkennungen der führenden Rolle Rebekkas in der Familie gibt (27, 46 P), die nicht vor der Raffinesse zurückschreckte (27, 6ff.)? Gerda Weiler ([2]1986) mythisiert aus matriarchalischen Zwecken Rebekka, die als Enkelin Milkas eine Priesterin Deboras gewesen sei: „Es muß ein Kultbild oder einen Kulttext gegeben haben, der Rebekka, an den Brüsten der Debora saugend, vorstellt, wie es eine Elfenbeinschnitzerei gibt, die Ramses II. darstellt, ‚saugend an den Brüsten der Jungfrau Anat und der Ašerat, der göttlichen Ammen'" (S. 129). Debora sei zur Amme Rebekkas banalisiert worden. Nach Savine J. Teubal (1984) müßte Rebekka die zweite "matriarch" nach der Priesterin Sara gewesen sein. Phyllis Trible (1985. 1987) entschuldigt sich für Saras Terror gegenüber der ausländischen Sklavin Hagar. Ingeborg Kruse (1986) sieht in Rebekka eine unverstandene Dulderin, die schlußendlich im Kampf gegen ihren Mann und ältesten Sohn siegte. Ina Willi-Plein (1989) erkennt in Gen 27 als Rebekkageschichte eine „Müttergeschichte". „Ganz allgemein setzen die Frauenerzählungen, vor allem der Rebekkakomplex (auch Gen 24), durch den möglicherweise überhaupt erst Isaak zwischen Jakob und Abraham integriert wird, den Abschluß der Vätersagenkreise als solcher voraus und verknüpfen sie im Rahmen der Familiengeschichte" (S. 333). „Die entscheidende Rolle der Frauen ... entspringt weder einer grundsätzlichen Kritik am Patriarchat, das sie ganz selbstverständlich voraussetzen, noch spiegelt sie im Sinne historischer Faktizität eine vorpatriarchale Stufe der Ur- oder Vorgeschichte Israels, sondern sie ist ein historiographischer Kunstgriff im besten Sinne des Wortes ..." In der Vätergeschichte als Familiengeschichte „kommt den Frauen eine die Sachzwänge durchbrechende Freiheit zu, durch die – auch – Gott handelt ... Gen 27 gehört in den Rahmen der Müttergeschichte Israels" (S. 334). Bemerkenswert ist, daß nach Gen 27, 46f. (P) Rebekka indirekt die Initiative ergreift und den Patriarchen im gemeinsamen Interesse handeln läßt (vgl. 26, 34f. P, zu Gen 24 siehe neuerdings Karen Engelken 1990).

Praktisch-theologisch ist es aufschlußreich, einen „christlichen" Kommentar (etwa von Rad [9]1972) mit dem bewußt jüdischen von Jacob (1934) zu vergleichen, doch darf dies nicht zu dem Fehlschluß führen, als sei „jüdische" Auslegung grundsätzlich synchron. Hermeneutisch gesehen stellt sich in der jeweiligen Interpretation alttestamentlicher Texte das komplexe Verhältnis von Judentum und Christentum dar, auch das jeweilige Verhältnis zum Islam, wenn der Koran und muslimische Traditionsliteratur berücksichtigt werden. Die Rezeption der Gestalt Isaaks im Neuen Testament ist dabei zu beachten (vgl. Mt 8, 11; 12, 26; Röm 9, 6ff.; Gal 4, 21 ff.; Heb 11, 17ff.; Jak 2, 21 ff.; s. ALBERTZ 1987, S. 296f.). Somit lenkt „Praktische Theologie", die das aktuelle Verhältnis „abrahamitischer" Religionen im Blick hat, zu biblischen Texten und „zur Theologie" (6. 3) zurück.

BIBLIOGRAPHIE

Aharoni, Y. (1956): The Land of Gerar, IEJ 6, 26–32.

– (1973): Excavations at Tel Beer-Sheba I, Tel Aviv.

Aitken, K. T. (1984): The Wooing of Rebekkah. A Study in the Development of the Tradition, JSOT 30, 3–23.

Albertz, R. (1978): Persönliche Frömmigkeit und offizielle Religion. Religionsinterner Pluralismus in Israel und Babylonien, CThM 9, Stuttgart.

– (1987): Isaak, TRE 16, 292–298.

Albright, W. F. ([2]1946): From the Stone Age to Christianity, Baltimore (= Von der Steinzeit zum Christentum, Sammlung Dalp 5, Bern 1949).

Alexander, T. D. (1983): Genesis 22 and the Covenant of Circumcision, JSOT 25, 17–22.

Alonso Schökel, L. (1985): Of Methods and Models, SVT 36, Leiden, 3–13.

– (1988): Trends: Plurality of Methods, Priority of Issues, SVT 40, Leiden, 285–292.

Alt, A. (1929): Der Gott der Väter, KS 1, München 1953, 1–78.

– (1938): Die Wallfahrt von Sichem nach Bethel, KS 1, München 1953, 79–88.

Alter, R. (1981): The Art of Biblical Narrative, London.

Amsler, S. (1989): Les documents de la loi et la formation du Pentateuque, in: A. de Pury (Hrsg.), Le Pentateuque en question, Labor et Fides, Genf, 235–257.

Anderson, B. W. (1974): The New Frontier of Rhetorical Criticism, FS Muilenburg, Pittsburgh Theological Monograph Series 1, IX–XVIII.

Augustin, M. (1983): Die Inbesitznahme der schönen Frau aus der unterschiedlichen Sicht der Schwachen und der Mächtigen. Ein kritischer Vergleich von Gen 12, 10–20 und 2Sam 11, 2–27a, BZ NF 10, 145–154.

– (1989): Die Simeoniten. Untersuchungen zur Entstehung und Geschichte eines israelitischen Stammes, Hab.-Schrift (masch.) Rostock.

– (1990): The Role of Simeon in the Books of Chronicles and in Jewish Writings of the Hellenistic-Roman Period, Proceedings of the Tenth World Congress of Jewish Studies, Jerusalem (im Druck).

Axelsson, L. E. (1987): The Lord rose up from Seir. Studies in the History and Traditions of the Negev and Southern Judah, CB OT Series 25, Lund.

– (1988): God still dwells in the Desert. A Conception for North-Israelite Yahwism, BEATAJ 13, 17–20.

Bartelmus, R. (1985): Topographie und Theologie. Exegetische und didaktische Anmerkungen zum letzten Kapitel der Genesis (Gen 50, 1–14), BN 29, 35–57.

Bartlett, J. R. (1969): The Land of Seir and the Brotherhood of Edom, JThS 20, 1–20.
– (1972): The Rise and Fall of the Kingdom of Edom, PEQ 104, 26–37.
– (1977): The Brotherhood of Edom, JSOT 4, 2–27.
Bauer, J. B. (1989): Jakobs Kampf mit dem Dämon (Gen 32, 32–33) FS J. Scharbert (hrsg. v. M. Görg), Stuttgart, 17–22.
Begrich, G. (1989): Die Freundlichkeit Gottes als Grundform theologischen Redens – Ein Nachdenken über Gen 18, 1–16a, EvTheol 49, 218–231.
Berg, W. (1982): Der Sündenfall Abrahams und Saras nach Gen 16, 1–6, BN 19, 7–14.
– (1983): Nochmals: Ein Sündenfall Abrahams – der erste – in Gen 12, 10–20, BN 21, 7–15.
Berge, K. (1990): Die Zeit des Jahwisten. Ein Beitrag zur Datierung jahwistischer Vätertexte, BZAW 186, Berlin/New York.
Berlin, A. (1983): Poetics and Interpretation of Biblical Narrative, Bible and Literature Series 9, Sheffield.
Blenkinsopp, J. (1976): The Structure of P, CBQ 38, 275–292.
Blum, E. (1984): Die Komposition der Vätergeschichte, WMANT 57, Neukirchen-Vluyn.
Blythin, I. (1968): The Patriarchs and the Promise, SJTh 21, 56–73.
Booij, T. (1980): Hager's Words in Genesis 16, 13b, VT 30, 1–7.
Borchert, R. (1956): Stil und Aufbau der priesterschriftlichen Erzählung, Diss. (masch.) Heidelberg.
Brocke, M. (1987): Isaak. III. Judentum, TRE 16, 298–301.
Brueggemann, W. (1972): The Kerygma of the Priestly Writers, ZAW 84, 397–414.
– (1982): "Impossibility" and Epistemology in the Faith Tradition of Abraham and Sarah (Gen 18, 1–15), ZAW 94, 615–634.
– (1982): Genesis. Interpretation. A Bible Commentary for Teaching and Preaching, Atlanta.
Cassuto, U. (1964): A Commentary on the Book of Genesis II. A Fragment of Part III, Jerusalem (first published in Hebrew 1949).
Cazelles, H. (1989): Der persönliche Gott Abrahams und der Gott des Volkes Israel, FS A. Deißler (hrsg. v. R. Mosis und L. Ruppert), Freiburg/Basel/Wien.
– (1989): Abraham au Negeb, FS J. Scharbert, Stuttgart, 23–32.
Childs, B. S. (1979): Introduction to the Old Testament as Scripture, London.
– (1987): Die theologische Bedeutung der Endform eines Textes, ThQ 167, 1987, 242–251.
– (1988): Biblische Theologie und christlicher Kanon, JBTh 3, 13–27.
Chilton, B. D. (1980): Isaac and the Second Night, Bibl 61, 78–88; siehe auch unter Davies, P. R.
Clark, W. M. (1977): The Patriarchal Traditions. The Biblical Traditions, in: J. H. Hayes and J. M. Miller (Hrsg.), Israelite and Judaean History, London, 120–148.

Clements, R. E. (1967): Abraham and David. Genesis 15 and its Meaning for Israelite Tradition, SBT 5, London.

– (1973): Abraham, ThWAT I, 53–62.

Clines, D. J. A. (1978): The Theme of the Pentateuch, JSOT: Suppl. Series 10, Sheffield.

Coats, G. W. (1973): Abraham's Sacrifice of Faith. A Form-Critical Study of Genesis 22, Interpr 27, 389–400.

– (1980): Strife without Reconciliation – a Narrative Theme in the Jacob Traditions, FS C. Westermann (hrsg. v. R. Albertz u. a.), Göttingen 1980, 82–106.

– (1983): Genesis with an Introduction to Narrative Literature. Forms of Old Testament Literature 1, Grand Rapids (Michigan).

– (1985): A Threat to the Host, in: Coats, Saga, Legend, Tale, Novella, Fable. Narrative Forms in Old Testament Literature, JSOT: Suppl. Series 35, Sheffield.

Coggins, R. J. (1984/5): Keeping up with Recent Studies. X. The Literary Approach to the Bible, ET 96, 9–14.

Conrad, J. (1980): Welche Bedeutung hatte die Familie für die Religion Altisraels?, ThLZ 105, 481–488.

Cornelius, I. (1984): Genesis 26 and Mari: The Dispute over Water and the Socio-Economic Way of Life of the Patriarchs, JNSL 12, 53–61.

Craghan, J. F. (1977): The Elohist in Recent Literature, BTB 7, 23–35.

Crenshaw, J. (1975): Journey into Oblivion: A Structural Analysis of Gen. 22, 1–19, Soundings 58, 243–256.

Cross, F. M. (1973): Canaanite Myth and Hebrew Epic. Essays in the History of the Religion of Israel, Cambridge (Mass.).

– (1988): Reuben, First Born of Jacob, ZAW 100, 46–65.

Crüsemann, F. (1989): Der Pentateuch als Tora. Prolegomena zur Interpretation seiner Endgestalt, EvTheol 49, 250–267.

– (1989): Le Pentateuque, une Tora. Prolégomènes à l'interprétation de sa forme finale, in: A. de Pury (Hrsg.), Le Pentateuque en Question, Labor et Fides, Genf 1989, 339–360.

Daly, R. J. (1977): The Soteriological Significance of the Sacrifice of Isaac, CBQ 39, 45–75.

Davidson, R. (1979): Genesis 12–50, The Cambridge Bible Commentary on the New English Bible, Cambridge.

Davies, P. R./B. D. Chilton (1978): The Aqedah: A Revised Tradition History, CBQ 40, 514–546.

Davies, P. R. (1979): Passover and the Dating of the Akeda, JJS 30, 59–67.

Dejkstra, M. (1987): El 'Olam in the Sinai?, ZAW 99, 249f.

Delcor, M. (1989): Des inscriptions de Deir 'Alla aux traditions bibliques, à propos des šdyn, des šedim et de šadday, FS J. Scharbert (hrsg. v. M. Görg), Stuttgart, 33–40.

Delitzsch, F. (1887): Neuer Commentar über die Genesis, Leipzig.

Deurloo, K. A. (1984): "Because you hearkened unto my Voice" (Genesis 22), ACEBT 5, 9–26.

Deurloo, K. A. (1988): Die Gefährdung der Ahnfrau (Gen 20), DBAT 25, 17–27.

Dever, W. G. (1977): The Patriarchal Traditions. § 1. Palestine in the Second Millenium BCE: The Archaeological Picture, in: J. H. Hayes/J. M. Miller (Hrsg.), Israelite and Judaean History, OTL, London, 70–120.

Diebner, B. J. (1974): „Isaak" und „Abraham" in der alttestamentlichen Literatur außerhalb Gen 12–50. Eine Sammlung literaturgeschichtlicher Beobachtungen nebst einigen überlieferungsgeschichtlichen Spekulationen, DBAT 7, 38–50.

– (1975): „Schaut Abraham an, euren Vater" – Spekulationen über die „Haftpunkte" der Abraham-Tradition, „Mamre" und „Machpela", DBAT 8, 18–35.

– (1975): Die Götter des Vaters – Eine Kritik der „Vätergott"-Hypothese Albrecht Alts, DBAT 9, 21–51.

– (1978): Neue Ansätze in der Pentateuch-Forschung, DBAT 13, 2–13.

– (1987): „Auf einem der Berge im Lande Morija" (Gen 22, 2) oder: „In Jerusalem auf dem Berge Morija" (2Chron 3, 1)?, DBAT 23/4, 174–179.

Diebner, B./H. Schult (1975): Die Ehen der Erzväter, DBAT 8, 2–10.

– (1975): Alter und geschichtlicher Hintergrund von Gen 24, DBAT 10, 10–17.

– (1975): Argumenta e silentio. Das Große Schweigen als Folge der Frühdatierung der „alten Pentateuchquellen", DBAT 9, Beiheft (FS R. Rendtorff), 24–55.

Dietrich, W. (1989): Die Josephserzählung als Novelle und als Geschichtsschreibung, BThSt 14, Neukirchen-Vluyn.

Dion, P.-E. (1970): The "Fear not" Formula and Holy War, CBQ 32, 565–570.

Donaldson, M. E. (1981): Kinship Theory in the Patriarchal Narratives: The Case of the Barren Wife, JAAR 49, 77–87.

Donner, H. (1961): Der „Freund des Königs", ZAW 73, 269–277.

– (1976): Die literarische Gestalt der alttestamentlichen Josephsgeschichte, SHAW.PH 2, Heidelberg.

Dyk, J. P. van (1990): The Function of So-Called Etiological Elements in Narratives, ZAW 102, 19–33.

Eißfeldt, O. (1922/[2]1962): Hexateuch-Synopse, Leipzig; Darmstadt.

– (1963): Jakobs Begegnung mit El und Moses Begegnung mit Jahwe, OLZ 58, 325–331 (= KS 4, 92–98).

– (1968): Der kanaanäische El als Geber der den israelitischen Erzvätern geltenden Nachkommenschaft- und Landbesitzverheißungen, WZ Halle 17 (= KS 5, 50–62).

Emerton, J. A. (1982): The Origin of the Promises to the Patriarchs in the Older Sources of the Book of Genesis, VT 32, 14–32.

– (1987): The Priestly Writer in Genesis, JThSt N. S. 38, 381–400.

– (1987): An Examination of Some Attempts to Defend the Unity of the Flood Narrative in Genesis, VT 37, 401–420, VT 38, 1–21.

Engel, H. (1979): Die Siegesstele des Merenptah. Kritischer Überblick über die verschiedenen Versuche historischer Auswertung des Schlußabschnitts, Bibl 60, 373–399.

– (1982/3): Abschied von den frühisraelitischen Nomaden und der Jahweamphiktyonie. Bericht über den Zusammenbruch eines wissenschaftlichen Konsensus, BiKi 38, 43–46.

Engelken, K. (1990): Frauen im Alten Testament. Eine begriffsgeschichtliche und sozialrechtliche Studie zur Stellung der Frau im Alten Testament, BWANT 130, Stuttgart.

Fabry, H.-J. (1989): Erst die Erstgeburt, dann der Segen, in: F.-L. Hossfeld (Hrsg.), Vom Sinai zum Horeb, Würzburg, S. 51-72.

Fenz, A. K. (1964): Auf Jahwes Stimme hören. Eine biblische Begriffsuntersuchung, Wiener Beiträge zur Theologie 6, Wien.

Finkelstein, I. (1988): The Archaeology of the Israelite Settlement, Israel Exploration Society, Jerusalem.

Fishbane, M. (1975): Composition and Structure in the Jacob Cycle (Gen. 25: 19–35:22), JJS 26, 15–38.

Fohrer, G. ([10]1965): Einleitung in das Alte Testament, Heidelberg.

– (1986): Vom Werden und Verstehen des Alten Testaments, GTB 1414, Gütersloh.

– (1988): Erzähler und Propheten im Alten Testament. Geschichte der israelitischen und frühjüdischen Literatur, Heidelberg/Wiesbaden.

– (1988): Methoden und Moden in der alttestamentlichen Wissenschaft, ZAW 100, 243–254.

Fokkelman, J. P. (1975): Narrative Art in Genesis. Specimens of Stylistic and Structural Analysis, SSN 17, Assen.

Fretheim, T. E. (1972): The Jacob Traditions. Theology and Hermeneutic, Interpr 26, 419–436.

Friis, H. (1984): Ein neues Paradigma für die Erforschung der Vorgeschichte Israels?, DBAT 19, 3–22.

– (1985): Die Mosebücher als Quellen für die älteste Geschichte Israels. Geschichtsschreibung als Legitimationsform, DBAT 21, 5–27.

Fritz, V. (1970): Israel in der Wüste. Traditionsgeschichtliche Untersuchung der Wüstenüberlieferung des Jahwisten, MThSt 7, Marburg.

– (1977): Tempel und Zelt. Studien zum Tempelbau in Israel und zu dem Zeltheiligtum der Priesterschrift, WMANT 47, Neukirchen-Vluyn.

– (1980/81): Die kulturhistorische Bedeutung der früheisenzeitlichen Siedlung auf der Hirbet el-Mšaš und das Problem der Landnahme, ZDPV 96, 1980, 121–135 (= The Israelite "Conquest" in the Light of Recent Excavations at Khirbet el Meshash, BASOR 241, 1981, 61–73).

– (1987): Conquest or Settlement? The Early Iron Age in Palestine, BA 50, 84–100.

– (1987): Das Geschichtsverständnis der Priesterschrift, ZThK 84, 426–439.

Füglister, N. (1989): Psalm 105 und die Väterverheißung, FS J. Scharbert, Stuttgart, 41–59.

Garbini, G. (1988): History and Ideology in Ancient Israel, Crossroad, N. Y. (= Storia e ideologia nell'Israele antico, Brescia 1986).

García López, F. (1980): Del «Yahvista» al «Deuteronomista». Estudio critico de Genesis 24, RB 87, 242–273. 350–393. 514–559.

Gese, H. (1986): Jakob und Mose: Hos 12, 3–14 als einheitlicher Text, FS J. H. C. Lebram, Studia post-biblica 306, Leiden, 38–47.

Gibson, J. C. L. (1982): Genesis II, Edinburgh.

Gispen, W. H. (1974–1983): Genesis I–III, Commentar op het Oude Testament, Kampen.

– (1982): A Blessed Son of Abraham, AOAT 211, Kevelaer/Göttingen, 123–129.

Göllner, R. (1987): Heilsgeschichte und Gottesfinsternis – zur Deutung von Gen. 22, 1–19, in: K. Heinemeyer (Hrsg.), Theologische und religionspädagogische Beiträge, Hildesheim, 255–281.

Görg, M. (1976): Aram und Israel, VT 26, 499f.

– (1986): Hagar, die Ägypterin, BN 33, 17–20.

– (1986): Die Begleitung des Abimelech von Gerar (Gen 26, 26), BN 35, 21–25.

– (1989): Beerscheba, Neues Bibel-Lexikon (=NBL), Lief. 2, Zürich, 256f.

– (Hrsg.) (1989): Die Väter Israels, Beiträge zur Theologie der Patriarchenüberlieferungen im Alten Testament, FS J. Scharbert, Stuttgart.

– (1989): Abra(ha)m – Wende zur Zukunft. Zum Beginn der priesterschriftlichen Abrahamsgeschichte, FS Scharbert, Stuttgart, 61–71.

Görg, M./B. Lang (1988/89): Neues Bibel-Lexikon (= NBL), Lief. 1f., Zürich.

Goldingay, J./A. R. Millard (1984): Die Väter Israels. Abraham – Isaak – Jakob in Bibel und Geschichte, Theologie und Dienst 37, Gießen.

Golka, F. (1976): The aetiologies in the Old Testament, VT 26, 410–428.

– (1978): Die theologischen Erzählungen im Abraham-Kreis, ZAW 90, 186–195.

Gordis, D. H. (1985): Lies, Wives and Sisters: The Wife-Sister Motif Revisited, Judaism 84, 344–359.

Gottwald, N. K. (1974): Where the Early Israelites Pastoral Nomads?, in: J. J. Jackson/M. Kessler (Hrsg.), Rhetorical Criticism, FS J. Muilenburg, Pittsburgh, 223–255.

– (1979): The Tribes of Yahweh. The Sociology of the Religion of Liberated Israel, 1250–1050 B. C. E., Maryknoll, N. Y.

Gross, W. (1968): Jakob, der Mann des Segens. Zu Traditionsgeschichte und Theologie der priesterschriftlichen Jakobsüberlieferungen, Bibl 49, 321–344.

Gubler, M.-L. (1977): Die frühesten Deutungen des Todes Jesu, Göttingen.

Gunkel, H. (^{8}1969): Genesis, HK 1, 1, Göttingen.

Gunneweg, A. H. J. (1983/1985): Anmerkungen und Anfragen zur neueren Pentateuchforschung, ThR NF 48, 227–253; NF 50, 107–131.

Ha, J. (1989): Genesis 15. A Theological Compendium of Pentateuchal History, BZAW 181, Berlin/New York.

Haag, E. (1981): Abraham und Lot in Gen 18–19, FS H. Cazelles, AOAT 212, Kevelaer/Neukirchen-Vluyn, 173–199.

– (1989): Die Abrahamtradition in Gen 15, FS J. Scharbert, Stuttgart, 83–106.

Hahn, F. (1971): Genesis 15, 6 im Neuen Testament, FS G. von Rad, München, 90–107.
Haran, M. (1978): Temples and Temple Service in Ancient Israel. An Inquiry into the Cult Phenomena and Historical Setting of the Priestly School, Oxford.
Hauge, M. R. (1975): The Struggles of the Blessed in Estrangement, StTh 29, 1–30. 113–146.
Hayes, J. H./J. M. Miller (Hrsg.) (1977): Israelite and Judaean History, London.
Heckelman, A. J. (1985): Was Father Isaac a Co-Conspirator?, Dor leDor 13/4, 225–234.
Hendel, R. S. (1987): The Epic of the Patriarch. The Jacob Cycle and the Narrative Traditions of Canaan and Israel, Harvard Semitic Monographs 42, Atlanta.
Hermisson, H.-J. (1974): Jakobs Kampf am Jabbok (Gen 32, 23–33), ZThK 71, 239–261.
Herrmann, S. (1973): Geschichte Israels in alttestamentlicher Zeit, München.
– (1988): Israels Frühgeschichte im Spannungsfeld neuer Hypothesen, Studien zur Ethnogenese 2, Rheinisch-Westfälische Akademie der Wissenschaften 78.
– (1989): Besprechung von: Th. L. Thompson: The Origin Tradition of Israel. I. The Literary Formation of Genesis and Exodus 1–23, JSOT: Suppl. Series 55, Sheffield 1987, ThLZ 114, 181 f.
Hillers, D. R. (1972): PAḤAD YIṢḤAQ, JBL 91, 90–92.
Hofmann I./A. Vorbichler (1981): „Gottes Bund mit Abraham“ in religionswissenschaftlicher Sicht, ZMRW 65, 139–147.
Hoftijzer, J. (1956): Die Verheißungen an die Erzväter, Leiden.
Holzinger, H. (1898): Genesis, KHC I, Leipzig/Tübingen.
Hunter, A. G. (1986): Father Abraham: A Structural and Theological Study of the Yahwist's Presentation of the Abraham-Material, JSOT 35, 3–27.
Hurvitz, A. (1974): The Evidence of Language in Dating the Priestly Code. A Linguistic Study in Technical Idioms and Terminology, RB 81, 24–56.
– (1988): Dating the Priestly Source in Light of the Historical Study of Biblical Hebrew a Century after Wellhausen, ZAW 100, 88–100.
Irsigler, H. (1989): Erhörungsmotiv und Ismaelname in Gen 16, 11 und 21, 17, FS J. Scharbert, Stuttgart, 107–138.
Jacob, B. (1934): Das erste Buch der Tora. Genesis, Berlin.
Jay, N. (1988): Sacrifice, Descent and the Patriarchs, VT 38, 52–70.
Jenks, A. W. (1977): The Elohist and North Israelite Traditions, SBL Monograph Series 22, Missoula (Montana).
Jaroš, K. (1974): Die Stellung des Elohisten zur kanaanäischen Religion, OBO 4, Fribourg/Göttingen.
Jepsen, A. (1953/4): Zur Überlieferungsgeschichte der Vätergestalten, WZ. GS 3, Heft 2/3, Leipzig, 139–155.
Jeremias, J. (1977): Die Erzväter in der Verkündigung der Propheten, FS W. Zimmerli, Göttingen, 206–222.

Jeremias, J. (1983): Der Prophet Hosea, ATD 24/1, Göttingen.
– (1987): Das Königtum Gottes in den Psalmen, FRLANT 141, Göttingen.
Jones, G. H. (1972): Abraham and Cyrus: Type and Anti-Type? VT 22, 304–319.
Kaiser, O. (1976): Den erstgeborenen deiner Söhne sollst du mir geben. Erwägungen zum Kinderopfer im Alten Testament, FS C. H. Ratschow, Berlin/New York, 24–48.
– ([5]1984): Einleitung in das Alte Testament. Eine Einführung in ihre Ergebnisse und Probleme, Gütersloh.
– (1989): Die Bedeutung des Alten Testaments für den christlichen Glauben, ThLZ 86, 1–17.
Kallai-Kleinmann, Z. (1958): The town lists of Judah, Simeon, Benjamin and Dan, VT 8, 134–160.
Kallai, Z. (1978): Judah and Israel – A Study in Israelite Historiography, IEJ 28, 251–261.
– (1986): Historical Geography of the Bible. The Tribal Territories of Israel, Jerusalem/Leiden.
– (1987): The Southern Border of the Land of Israel – Pattern and Application, VT 37, 438–445.
Keel, O./M. Küchler (1971): Synoptische Texte aus der Genesis, BiBe 8, 1/2, Fribourg.
Keller, C. A. (1954): „Die Gefährdung der Ahnfrau". Ein Beitrag zur gattungs- und motivgeschichtlichen Erforschung alttestamentlicher Erzählungen, ZAW 66, 181–191.
Kessler, R. (1972): Die Querverweise im Pentateuch. Überlieferungsgeschichtliche Untersuchung der expliziten Querverbindungen innerhalb des vorpriesterlichen Pentateuchs, Diss. (masch.) Heidelberg.
Keukens, K. H. (1982): Der irreguläre Sterbesegen Isaaks. Bemerkungen zur Interpretation von Genesis 27, 1–45, BN 19, 43–55.
Kieweler, H. V. (1986): Abraham und der Preis der Väter bei Ben Sira, Amt und Gemeinde 37, Wien, 70–72.
Kikawada, I. M. (1981): Genesis on Three Levels, AJBI 7, 3–15.
Kilian, R. (1966): Die vorpriesterlichen Abrahamsüberlieferungen literarkritisch und traditionsgeschichtlich untersucht, BBB 24, Bonn.
– (1970): Isaaks Opferung. Zur Überlieferungsgeschichte von Gen 22, SBS 44.
– (1986): Isaaks Opferung, BiKi 41, 98–104.
– (1989): Nachtrag und Neuorientierung. Anmerkungen zum Jahwisten in den Abrahamserzählungen, FS Scharbert, Stuttgart, 155–167.
Kirkpatrick, P. G. (1988): The Old Testament and Folklore Study, JSOT: Suppl. Series 62, Sheffield.
Klein, H. (1977): Ort und Zeit des Elohisten, EvTheol 37, 247–260.
Knauf, E. A. (1985): El Šaddai – der Gott Abrahams?, BZ 29, 87–103.
– (1985): Ismael. Untersuchungen zur Geschichte Palästinas und Nordarabiens im 1. Jahrtausend v. Chr., Wiesbaden.

– (1988): Midian. Untersuchungen zur Geschichte Palästinas und Nordarabiens am Ende des 2. Jahrtausends v. Chr., Wiesbaden.

Knohl, I. (1987): The Priestly Tora Versus the Holiness School: Sabbath and the Festivals, HUCA 58, 65–117.

Knopf, L. (1958): Arabische Etymologien und Parallelen zum Bibelwörterbuch, VT 8, 161–215.

Koch, K. ([3]1974): Was ist Formgeschichte? Methoden der Bibelexegese, Neukirchen-Vluyn.

– (1980): paḥad jiṣḥaq – eine Gottesbezeichnung?, FS C. Westermann, Göttingen, 107–115.

– (1987): P – kein Redaktor! Erinnerung an zwei Eckdaten der Quellenscheidung, VT 37, 446–467.

– (1988): Die Götter, denen die Väter dienten, in: E. Otto (Hrsg.), Studien zur alttestamentlichen und altorientalischen Religionsgeschichte, Göttingen, 9–31.

– (1988): Studien zur alttestamentlichen und altorientalischen Religionsgeschichte (hrsg. v. E. Otto), Göttingen.

Köckert, M. (1979): Die Väterverheißungen. Ein Beitrag zum Thema Gotteswort und Geschichte, Theologische Versuche 10, Berlin, 11–37.

– (1985): Auf der Suche nach dem Jahwisten. Aporien in der Begründung einer Grundthese alttestamentlicher Exegese, Theologische Versuche 14, Berlin, 39–64.

– (1988): Vätergott und Väterverheißungen. Eine Auseinandersetzung mit Albrecht Alt und seinen Erben, FRLANT 141, Göttingen.

Kohata, F. (1986): Jahwist und Priesterschrift in Exodus 3–14, BZAW 166, Berlin/New York.

Koler, Y. (1984): The Binding of Isaac, Beth Mikra 97, 117–127.

Krašovec, J. (1989): Der Ruf nach Gerechtigkeit in Gen 18, 16–33, FS Scharbert, Stuttgart, 169–182.

Kreuzer, S. (1983): Der lebendige Gott. Bedeutung, Herkunft und Entwicklung einer alttestamentlichen Gottesbezeichnung, BWANT 116, Stuttgart/Berlin/Köln/Mainz.

– (1986): Das Opfer des Vaters – die Gefährdung des Sohnes, Genesis 22, Amt und Gemeinde 37, Wien, 62–70.

– (1989): Die Frühgeschichte Israels in Bekenntnis und Verkündigung des Alten Testaments, BZAW 178, Berlin/New York.

Kruse, I. (1986): Unter dem Schleier ein Lachen. Neue Frauengeschichten aus dem Alten Testament, Stuttgart.

Kühlewein, J. (1980): Gotteserfahrung und Reifungsgeschichte in der Jakob-Esau-Erzählung. Ein Beitrag zum Gespräch zwischen Theologie und Tiefenpsychologie, FS C. Westermann, Göttingen/Neukirchen-Vluyn, 116–130.

Kümpel, R. (1977): Die „Begegnungstradition" von Mamre, FS G. J. Botterweck, BBB 50, Köln/Bonn, 147–168.

Kyle McCarter, P., Jr. (1988): s. McCarter.

Labuschagne, C. J. (1986): Neue Wege und Perspektiven in der Pentateuchforschung, VT 36, 146–162.

Lack, R. (1975): La sacrifice d'Isaac – Analyse structurale de la couche élohiste dans Gn 22, Bibl 56, 1–12.

Lang, B. (Hrsg.) (1981): Der einzige Gott. Die Geburt des biblischen Monotheismus, München.

– (1988f.): s. M. Görg und B. Lang.

Leineweber, W. (1980): Die Patriarchen im Licht der archäologischen Entdekkungen. Die kritische Darstellung einer Forschungsrichtung, EHS.T 127, Bern/Frankfurt a. M.

Lemaire, A. (1973): Asriel, Sr'l, Israël et l'origine de la confédération israelite, VT 23, 239–243.

– (1978): Les bêne Jacob. Essai d'interprétation historique d'une tradition patriarcale, RB 85, 321–337.

Lemche, N. P. (1985): Early Israel. Anthropological and Historical Studies on the Israelite Society Before the Monarchy, SVT 37, Leiden.

Lerch, D. (1950): Isaaks Opferung christlich gedeutet. Eine auslegungsgeschichtliche Untersuchung, BHTh 12, Tübingen.

Lipińsski, E. (1978): Aramäer und Israel, TRE 3, Berlin/New York, 590–599.

– (1988): Aramäer, NBL (hrsg. v. M. Görg und B. Lang), Lief. 1, 146–148.

Lohfink, N. (1967): Die Landverheißung als Eid. Eine Studie zu Gen 15, SBS 28, Stuttgart.

– (1978): Die Priesterschrift und die Geschichte, SVT 29, Leiden.

– (1983): Die Bedeutungen von hebr. jrš qal und hif, BZ 27, 14–33.

– (1988): Fortschritt oder Wachstumskrise? Zur Lage der alttestamentlichen Wissenschaft, Evangelische Kommentare 88, 638–641.

Long, B. O. (1968): The Problem of Etiological Narrative in the Old Testament, BZAW 108, Berlin.

Loretz, O. (1978): Vom kanaanäischen Totenkult zur jüdischen Patriarchen- und Elternverehrung. Historische und tiefenpsychologische Grundprobleme der Entstehung des biblischen Geschichtsbildes und der jüdischen Ethik, Jahrbuch für Anthropologie und Religionsgeschichte 3, Saarbrücken.

Lutz, D. A. (1969): The Isaac Tradition in the Book of Genesis, Diss. (masch.) Drew University, Madison, N.J. (University Microfilms, Inc., Ann Arbor, Michigan).

Lux, R. (1977): Die Väterverheißungen. Literarische, soziologische und religionsgeschichtliche Untersuchungen zu den Verheißungen von Nachkommenschaft und Landbesitz an die Erzväter in Israel, Diss. (masch.) Leipzig.

Maag, V. (1957): Jakob – Esau – Edom, ThZ 13, 418–429 (= ders., Kultur, Kulturkontakt und Religion. Gesammelte Studien zur allgemeinen und alttestamentlichen Religionsgeschichte, Göttingen und Zürich 1980, 99–110).

Mabee, C. (1980): Jacob and Laban. The Structure of juridical Proceedings (Gen 31, 25–42), VT 30, 129–207.

Magonet, J. (1973): Die Söhne Abrahams, BiLe 14, 204–210.

Maier, J. (1972): Geschichte der jüdischen Religion, Berlin/New York.

Malamat, A. (1973): The Aramaeans, in: D. J. Wiseman (Hrsg.), Peoples of Old Testament Times, Oxford, 134–155.
– (1983): Die Frühgeschichte Israels – eine methodologische Studie. Frühgeschichte versus Geschichte, ThZ 39, 1–16.
Malul, M. (1985): More on Paḥad Yiṣḥaq (Gen 31, 42. 53) and the Oath by the Thigh, VT 35, 192–200.
Martin-Achard, R. (1969): Actualité d'Abraham, Neuchâtel.
– (1976): Abraham, TRE 1, 364–372.
– (1982): La figure d'Isaac dans l'Ancien Testament et dans la tradition juive ancienne, Bulletin des Facultés Catholiques de Lyon, 106e année, No. 66, Lyon, 5–10.
– (1988): Remarques sur Genèse 26, ZAW 100, 22–46.
– (1988): Abraham sacrifiant. De l'èpreuve du Moriya à la nuit d'Auschwitz, Aubonne (Schweiz).
– (1992): Isaac, The Anchor Bible Dictionary 3 (= ABD). Garden City, N. Y.
Matthews, V. H. (1981): Pastoralists and Patriarchs, BA 44, 215–218.
– (1986): The Wells of Gerar, BA 49, 118–126.
Matthews, V. H./F. Mims (1985): Jacob the Trickster and Heir of the Covenant. A Literary Interpretation, PRS 12, 185–195.
Mazar, B. (1969): The Historical Background of the Book of Genesis, JNES 28, 73–83.
Mazor, Y. (1986): Genesis 22: The Ideological Rhetoric and the Psychological Composition, Bibl 67, 81–88.
McCarter, P. Kyle (1988): The Historical Abraham, Interpr 42, 341–352.
McEvenue, S. E. (1971): The Narrative Style of the Priestly Writer, AnBibl 50, Rom.
– (1975): A Comparison of Narrative Styles in the Hagar Stories, Semeia 3, 64–77.
– (1984): The Elohist at Work, ZAW 96, 315–332.
McKane, W. (1979): Studies in the Patriarchal Narratives, Edinburgh.
– (²1988): Isaak, EKL Lief. 5, Göttingen, 734.
Mendenhall, G. E. (1962): The Hebrew Conquest of Palestine, BA 25, 66–87.
Milgrom, J. (1983): Studies in Cultic Theology and Terminology. Studies in Judaism in Late Antiquity 36, Leiden.
Millard, A. R./D. J. Wiseman (1980): Essays on the Patriarchal Narratives, Leicester.
Miscall, P. D. (1978): The Jacob and Joseph Stories as Analogies, JSOT 6, 28–40.
– (1983): The Workings of Old Testament Narrative. Part I: Genesis 12 and Related Texts, The Society of Biblical Literature, Semeia Studies, Philadelphia/Chico, 11–46.
Moberly, R. W. L. (1988): The Earliest Commentary on the Akedah, VT 38, 302–332.
Mölle, H. (1973): Das „Erscheinen“ Gottes im Pentateuch. Ein literaturwissenschaftlicher Beitrag zur Exegese, EHS.T 23/18, Bern/Frankfurt a. M.

Mölle, H. (1980): Der sogenannte Landtag zu Sichem, fzb 42, Würzburg.

Morrison, M. A. (1983): The Jacob and Laban Narrative in the Light of Near Eastern Sources, BA 46, 155–164.

Müller, A. R. (1989): Die Mehrungsverheißung und ihre vielfältige Formulierung, FS Scharbert, Stuttgart, 259–266.

Müller, H.-P. (1980): Gott und die Götter in den Anfängen der biblischen Religion. Zur Vorgeschichte des Monotheismus, in: O. Keel (Hrsg.), Monotheismus im Alten Testament und seiner Umwelt, Biblische Beiträge 14, Fribourg, 99–142.

Muilenburg, J. (1969): Form Criticism and beyond, JBL 88, 1–18.

Na'aman, N. (1980): The Inheritance of the Sons of Simeon, ZDPV 96, 136–152.

Neef, H.-D. (1987): Die Heilstraditionen Israels in der Verkündigung des Propheten Hosea, BZAW 169, Berlin/New York.

Neff, R. W. (1970): The Birth and Election of Isaac in the Priestly Tradition, BR 15, 5–18.

– (1972): The Annunciation in the Birth Narrative of Ishmael, BR 17, 51–62.

Neu, R. (1986): „Israel" vor der Entstehung des Königtums, BN 30, 204–221.

Neubacher, F. (1986): Isaaks Opferung in der griechischen Alten Kirche, Amt und Gemeinde 37, Wien, 72–76.

Nielsen, E. (1984): The Traditio-Historical Study of the Pentateuch since 1945, with special Emphasis on Scandinavia, in: K. Jeppesen und B. Otzen (Hrsg.), The Production of Time. History in Old Testament Scholarship, Sheffield, 11–28.

Niemann, H. M. (1985): Die Daniten. Studien zur Geschichte eines altisraelitischen Stammes, FRLANT 135, Göttingen.

Nomoto, S. (1976): Entstehung und Entwicklung der Erzählung von der Gefährdung der Ahnfrau, AJBI 2, 3–27.

Noth, M. (1948): Überlieferungsgeschichte des Pentateuch, Stuttgart.

Odelain, O./R. Séguineau (1981): Lexikon der biblischen Eigennamen, Düsseldorf/Neukirchen-Vluyn.

Oden, R. A., Jr. (1983): Jacob as Father, Husband, and Nephew: Kinship Studies and the Patriarchal Narratives, JBL 102, 189–205.

Otto, E. (1976): Jakob in Bethel, ZAW 88, 165–190.

– (1977): Stehen wir vor einem Umbruch in der Pentateuchkritik?, VF 22, 82–97.

– (1979): Jakob in Sichem. Überlieferungsgeschichtliche, archäologische und territorialgeschichtliche Studien zur Entstehungsgeschichte Israels, BWANT 110, Stuttgart u. a.

Otwell, J. H. (1977): And Sarah laughed. The Status of Women in the Old Testament, Philadelphia.

Perlitt, L. (1969): Bundestheologie im Alten Testament, WMANT 36, Neukirchen-Vluyn.

Petersen, D. L. (1973): A Thrice-Told Tale: Genre, Theme, and Motif, BR 18, 30–43.

Polzin, R. (1975): "The Ancestress of Israel in Danger" in Danger, Semeia 3, 81–97.

Procksch, O. (1913): Die Genesis übersetzt und erklärt, KAT 1, Leipzig.

Puech, E. (1984): «La crainte d'Isaac» en Genèse 31, 42 et 53, VT 34, 356–361.

Pury, A. de (1975): Promesse divine et légende culturelle dans le cycle de Jacob. Genèse 28 et les traditions patriarcales, Etudes Bibliques, 2 Bde., Paris.

– (Hrsg.) (1989): Le Pentateuque en question, Labor et Fides, Genf.

– (1989): La tradition patriarcale en Genèse 12–35, in: Le Pentateuque en question, Genf, 259–270.

Pury, A. de/Th. Römer (1989): Le Pentateuque en question. Position du problème et brève histoire de la recherche, in: A. de Pury (Hrsg.), Le Pentateuque en question, Labor et Fides, Genf, 9–80.

Rad, G. von (1938): Das formgeschichtliche Problem des Hexateuch (= Ges. Studien zum AT, TB 8, München 1958, 9–86).

– (^{9}1972): Das erste Buch Mose. Genesis, ATD 2–4, Göttingen.

– (1971): Das Opfer des Abraham. Mit Texten von Luther, Kierkegaard, Kolakowski und Bildern von Rembrandt, KT 6, München.

Rendsburg, G. A. (1984): Notes on Genesis 35, VT 34, 361–366.

– (1986): The Redaction of Genesis, Winona Lake.

Rendtorff, R. (1967): Studien zur Geschichte des Opfers im Alten Testament, WMANT 24, Neukirchen-Vluyn.

– (1977): Das überlieferungsgeschichtliche Problem des Pentateuch, BZAW 147, Berlin/New York.

– (1980): Genesis 15 im Rahmen der theologischen Bearbeitung der Vätergeschichte, FS C. Westermann, Göttingen/Neukirchen-Vluyn, 74–81.

– (1982): Jakob in Bethel. Beobachtungen zum Aufbau und zur Quellenfrage in Gen 28, 10–22, ZAW 94, 511–523.

– (1988): Between historical criticism and holistic interpretation: new trends in Old Testament exegesis, Congress Volume Jerusalem 1986 (hrsg. v. J. A. Emerton), SVT 40, Leiden.

– (1989): L'histoire biblique des origines (Gen 1–11) dans le contexte de la rédaction «sacerdotale» du Pentateuque, in: A. de Pury (Hrsg.), Le Pentateuque en question, Labor et Fides, Genf, 83–94.

Resenhöfft, W. (1977): Die Geschichte Alt-Israels. Die Quellenschriften der Bücher Genesis bis Könige im deutschen Wortlaut isoliert, 4 Bde., EHS.T 84, Bern/Frankfurt a. M.

Reventlow, H. Graf (1968): Opfere deinen Sohn. Eine Auslegung von Genesis 22, BSt 53, Neukirchen-Vluyn.

– (1977): „Internationalismus" in den Patriarchenüberlieferungen, FS W. Zimmerli, Göttingen, 354–370.

Richter, W. (1967): Das Gelübde als theologische Rahmung der Jakobsüberlieferungen, BZ 11, 21–52.

Römer, Th. (1990): Israels Väter. Zur Väterthematik im Deuteronomium und in der deuteronomistischen Tradition, OBO 99, Freiburg (Schweiz)/Göttingen.

Rösel, H. N. (1983): Erwägungen zu Tradition und Geschichte in Jos 24 – ein Versuch –, BN 22, 41–46.
Rofé, A. (1981): La composizione di Gen. 24, BiOr 23, 161–165.
Rose, M. (1976): „Entmilitarisierung des Krieges" (Erwägungen zu den Patriarchen-Erzählungen der Genesis), BZ 20, 197–211.
Rosenau, H. (1985): Die Erzählung von Abrahams Opfer (Gen 22) und ihre Deutung bei Kant, Kierkegaard und Schelling, NZSThRW 27, 251–261.
Roth, W. M. W. (1972): The Wooing of Rebekkah. A Tradition-Critical Study of Genesis 24, CBQ 34, 177–187.
Rowton, M. B. (1973): Urban Autonomy in a Nomadic Environment, JNES 32, 201–215.
– (1974): Enclosed Nomadism, JESHO 17, 1–30.
– (1976): Dimorphic Structure and Topology, OrAnt 15, 17–31.
– (1976): Dimorphic Structure and the Problem of the ʻapiru-ʼibrim, JNES 35, 13–20.
Rudolph, W. (1971): Joel – Amos – Obadja – Jona, KAT 13/2, Gütersloh.
Ruppert, L. (1983): Das Buch Genesis II (Geistl. Schriftlesung 6/2), Düsseldorf.
– (1985): Die Aporie der gegenwärtigen Pentateuchdiskussion und die Josefserzählung der Genesis, BZ 29, 31–48.
– (1989): Zur neueren Diskussion um die Josefsgeschichte der Genesis, BZ 33, 92–97.
– (1989): Zur Offenbarung des Gottes des Vaters (Gen 46, 1–5). Traditions- und redaktionsgeschichtliche Überlegungen, FS Scharbert, Stuttgart, 271–286.
Ruprecht, E. (1976): Die Religion der Väter. Hauptlinien der Forschungsgeschichte, DBAT 11, 2–29.
Saebø, M. (1981): Priestertheologie und Priesterschrift. Zur Eigenart der priesterlichen Schicht im Pentateuch, SVT 32, 357–374.
– (1988): The History of Old Testament Studies. Problems of its Presentation, BEATAJ 13, 3–14.
Safren, J. D. (1988): Balaam and Abraham, VT 38, 107–115.
– (1989): Ahuzzath and the Pact of Beer-Sheba, ZAW 101, 184–198.
Sarna, N. M. (1966/^{2}1970): Understanding Genesis. The Heritage of Biblical Israel, New York.
Scharbert, J. (1974): Patriarchentradition und Patriarchenreligion. Ein Forschungs- und Literaturbericht, VF 19, 2–22.
– (1983): Genesis 1–11, NEB, Würzburg.
– (1985): Die Landverheißung als „Urgestein" der Patriarchen-Tradition, FS M. M. Delcor, AOAT 215, Neukirchen-Vluyn/Kevelaer, 359–368.
– (1986): Genesis 12–50, NEB, Würzburg.
– (1987): Joseph als Sklave, BN 37, 104–128.
Schenk, W. (1980): Was ist ein Kommentar?, BZ 24, 1–20.
Schmid, Hans Heinrich (1971): jrš beerben, THAT I, München/Zürich, 778–781.
– (1976): Der sogenannte Jahwist. Beobachtungen und Fragen zur Pentateuchforschung, Zürich.

– (1981): Auf der Suche nach neuen Perspektiven für die Pentateuchforschung, SVT 32, Leiden, 375–394.
– (Hrsg.) (1987): John Van Seters, Der Jahwist als Historiker, ThSt 134.
Schmid, Herbert (1976): Ismael im Alten Testament und im Koran, Jud 32, 76–81. 119–129.
– (1980): Die Gestalt Abrahams und das Volk des Landes, Jud 36, 73–87.
– (1986): Die Gestalt des Mose. Probleme alttestamentlicher Forschung unter Berücksichtigung der Pentateuchkrise, EdF 237, Darmstadt.
– (1987): Die Gestalt Abrahams, in: H. Fox/H. Mercker (Hrsg.), Contemplata aliis tradere, Landauer Schriften zur Theologie und Religionspädagogik 2, Landau, 195–214.
– (1990): Ökumene im Genesisbuch, in: H. Mercker/S. Wibbing (Hrsg.), Ökumenisch leben, Landauer Schriften zur Theologie und Religionspädagogik 3, 217–227.
Schmidt, Ludwig (1976): „De Deo". Studien zur Literarkritik und Theologie des Buches Jona, des Gesprächs zwischen Abraham und Jahwe in Gen 18, 22ff. und von Hi 1, BZAW 143, Berlin/New York.
– (1977): Überlegungen zum Jahwisten, EvTheol 37, 230–247.
– (1986): Literarische Studien zur Josephsgeschichte, BZAW 167, Berlin/New York, 123–297. 307–310.
– (1988): Jakob erschleicht sich den väterlichen Segen. Literarkritik und Redaktion von Genesis 27, 1–45, ZAW 100, 159–183.
– (1989): Eine radikale Kritik an der Hypothese von Vätergott und Väterverheißungen, ThQ 54, 415–421.
Schmidt, Werner H. (1983): Exodus, Sinai und Mose, EdF 191, Darmstadt.
– (1981): Ein Theologe in salomonischer Zeit? Plädoyer für den Jahwisten, BZ 25, 82–103.
– (1985): Nachwirkungen prophetischer Botschaft in der Priesterschrift, AOAT 215, Neukirchen-Vluyn/Kevelaer, 369–377.
– ([6]1987), Alttestamentlicher Glaube in seiner Geschichte, NStB 6, Neukirchen-Vluyn.
– (1987): Die Frage nach der Einheit des Alten Testaments – im Spannungsfeld von Religionsgeschichte und Theologie, JBTh 2, 33–57.
– (1988): Exodus (1. Teilband Exodus 1–6), BK II/1, Neukirchen-Vluyn.
– (1988): Plädoyer für die Quellenscheidung, BZ 32, 1–14.
– ([4]1988): Einführung in das Alte Testament, GLB, Berlin/New York.
– (1989): Pentateuch und Prophetie. Eine Skizze zu Verschiedenartigkeit und Einheit alttestamentlicher Theologie, FS O. Kaiser, BZAW 185, Berlin/New York, 181–195.
Schmitt, Götz (1973): Zu Gen 26, 1–14, ZAW 85, 143–156.
Schmitt, Hans-Christoph (1980): Die nichtpriesterliche Josephsgeschichte. Ein Beitrag zur neuesten Pentateuchkritik, BZAW 154, Berlin/New York.
– (1985): Die Hintergründe der „neuesten Pentateuchkritik" und der literarische Befund der Josefsgeschichte Gen 37–50, ZAW 97, 161–179.

Schmitt, Hans-Christoph (1986): Die Erzählung von der Versuchung Abrahams Gen 22, 1–19 und das Problem einer Theologie der elohistischen Pentateuchtexte, BN 34, 82–109.

Schoeps, H. J. (1946): The Sacrifice of Isaac in Paul's Theology, JBL 65, 385–392.

Schreiner, J. (1989): Das Gebet Jakobs, FS J. Scharbert, Stuttgart, 287–303.

Schulz, H. (1969): Das Todesrecht im Alten Testament. Studien zur Rechtsform der Mot-Jumat-Sätze, BZAW 114, Berlin.

– (1987): Die Leviten im vorstaatlichen Israel und im Mittleren Osten, München.

Schunck, K.-D. (1963): Benjamin. Untersuchungen zur Entstehung und Geschichte eines israelitischen Stammes, BZAW 86, Berlin.

Schwab, E. (1989): Zur Neuorientierung der Exegese des Alten Testaments, Deutsches Pfarrerblatt 89, 3–7.

Schweizer, H. (1984): Das seltsame Gespräch von Abraham und Jahwe, ThQ 164, 121–134.

– (1987): Fragen zur Literarkritik von Gen 50. Diskussionsbeitrag zu R. Bartelmus BN 29 (1985) 35–53, BN 36, 64–68.

– (1988): Literarkritik, ThQ 168, 23–43.

Scullion, J. J. (1982/3): Some Reflections on the Present State of the Patriarchal Studies. The Present State of the Question, Abr-Nahrain 21, 50–65.

– (1988): „Die Genesis ist eine Sammlung von Sagen" (Hermann Gunkel). Independent Stories and Redactional Unity in Genesis 12–36, BEATAJ 13, 243–247.

Seebaß, H. (1966): Der Erzvater Israel und die Einführung der Jahweverehrung in Kanaan, BZAW 98, Berlin.

– (1977): Landverheißungen an die Väter, EvTheol 37, 210–229.

– (1978): Geschichtliche Zeit und theonome Tradition in der Joseph-Erzählung, Gütersloh.

– (1982): Machir im Ostjordanland, VT 32, 496–503.

– (1982): Elohist, TRE 9, 520–524.

– (1983): Gehörten Verheißungen zum ältesten Bestand der Väter-Erzählungen?, Bibl 64, 189–209.

– (1985): The Relationship of Torah and Promise in the Redactionary Composition of the Pentateuch, HBT 7, 99–116.

– (1986): The Joseph Story, Genesis 48 and the Canonical Process, JSOT 35, 29–43.

– (1987): Jahwist, TRE 16, 441–451.

– (1989): Que reste-t-il du Yahwiste et de l'Elohiste?, in: A. de Pury (Hrsg.), Le Pentateuque en question, Labor et Fides, Genf, 199–214.

– (1989): A titre d'exemple: réflexions sur Gen 16/21, 8–21 et 20, 1–18/26, 1–33, in: A. de Pury (Hrsg.), Le Pentateuque en question, Labor et Fides, Genf, 215–230.

Seidl, T. (1989): „Zwei Gesichter" oder zwei Geschichten? Neuversuch einer Literarkritik zu Gen 20, FS Scharbert, Stuttgart, 305–325.

Selms, W. van (1964/5): Isaac in Amos, Die Ou-testamentiese Werkgemeenskap in Suidafrika, Pretoria, 157–165.

Seters, J. Van: siehe J. Van Seters.

Sigrist, Chr./R. Neu (Hrsg.) (1989): Vor- und Frühgeschichte Israels. Ethnologische Texte zum Alten Testament, Neukirchen-Vluyn.

Ska, J.-L. (1989): Quelques remarques sur Pg et la dernière rédaction du Pentateuque, in: A. de Pury (Hrsg.), Le Pentateuque en question, Labor et Fides, Genf, 95–125.

Soggin, A. (1984): A History of Israel. From the Beginnings to the Bar Kochba Revolt AD 135, London.

– (1988): Probleme einer Vor- und Frühgeschichte Israels, ZAW 100, 255–267.

Specht, H. (1987): Von Gott enttäuscht – Die priesterschriftliche Abrahamgeschichte, EvTheol 47, 395–411.

Speiser, E. A. (1964): Genesis, ABI, Garden City, N. Y.

Sperling, S. D. (1987): Joshua 24 Re-examined, HUCA 58, 119–136.

Spiegel, S. (1967): The Last Trial. On the Legends and the Lore on the Command to offer Isaac as a Sacrifice. The Akedah, New York.

Springer, B. (1984): Die Landverheißung – ein Element der Bundestheologie im Alten Testament, Kairos NF 26, 54–65.

Stamm, J. J. (1950): Der Name Isaak, FS A. Schädelin, Bern (= FS J. J. Stamm, OBO 30, Fribourg usw. 1980, 9–14).

Sutherland, D. (1983): The Organization of the Abraham Promise Narratives, ZAW 95, 337–343.

Swetnam, J. (1981): Jesus and Isaac. A Study in the Epistle to the Hebrews in the Light of the Aqedah, AnBibl 94, Rom.

Tengström, S. (1976): Die Hexateucherzählung. Eine literaturgeschichtliche Studie, CB.OT 7, Lund.

– (1982): Die Toledotformel und die literarische Struktur der priesterlichen Erweiterungsschicht im Pentateuch, CB.OT 17, Lund.

– (1988): Die Auffassung von der Geschichte im jahwistischen Werk und im Alten Testament, Wiss. Beiträge der Ernst-Moritz-Arndt-Universität Greifswald, 25. Konferenz der Hochschultheologen der Ostseeländer, Greifswald, 21–46.

Teubal, S. J. (1984): Sarah the Priestess. The First Matriarch of Genesis, Athens (Ohio).

Thiel, W. (1980): Die soziale Entwicklung Israels in vorstaatlicher Zeit, Neukirchen-Vluyn.

– (1985): Geschichtliche und soziale Probleme der Erzväter-Überlieferungen in der Genesis, Theol. Versuche 14, Berlin, 11–27.

Thompson, Th. L. (1974): The Historicity of the Patriarchal Narratives. The Quest for the Historical Abraham, BZAW 133, Berlin/New York.

– (1978): A New Attempt to Date the Patriarchal Narratives, JAOS 98, 76–84.

– (1978): The Background of the Patriarchs: A Reply to William Dever and Malcolm Clark, JSOT 9, 2–43.

– (1979): Conflict Themes in the Jacob Narratives, Semeia 15, 5–26.

– (1987): The Origin Traditions of Ancient Israel. I. The Literary Formation of Genesis and Exodus 1–23, JSOT: Suppl Series 55, Sheffield.

Trible, Ph. (1985): The Other Woman. A Literary and Theological Study of the Hagar Narratives, FS B. W. Anderson (hrsg. v. J. T. Butler), Sheffield, 221–246.

– (1987): Mein Gott, warum hast du mich vergessen, Gütersloh.

Tsafrir, Y./J. Patrich/R. Rosenthal-Heginbottom u. a. (1988): Excavations at Rehovot-in-the-Negev. Volume I: The Northern Church, Qedem 25, Jerusalem.

Tucker, G. (1965): Covenant Forms and Contract Forms, VT 15, 487–503.

Utzschneider, H. (1980): Hosea, Prophet vor dem Ende. Zum Verhältnis von Geschichte und Institution in der alttestamentlichen Prophetie, OBO 31, Fribourg/Göttingen.

– (1988): Besprechung von H.-D. Neef, Die Heilstraditionen Israels in der Verkündigung des Propheten Hosea, BZAW 169, Berlin/New York 1987, ThRev 5, 365f.

Van Seters, J. (1968): The Problem of Childlessness in Near Eastern Law and the Patriarchs of Israel, JBL 87, 401–408.

– (1972): Confessional Reformulations in the Exilic Period, VT 22, 448–459.

– (1975): Abraham in History and Tradition, New Haven/London.

– (1979): Recent Studies on the Pentateuch: A Crisis in Method, JAOS 99, 663–673.

– (1980): The Religion of the Patriarchs in Genesis, Bibl 61, 220–233.

– (1983): In Search of History. Historiography in the Ancient World and the Origins of Biblical History, New Haven.

– (1987): Der Jahwist als Historiker (hrsg. v. H. H. Schmid), ThSt 134, Zürich.

Vaux, R. de (1971): Histoire ancienne d'Israel. Des origines à l'installation en Canaan, Paris.

– (1978): The Early History of Israel, Volume 1, London.

Vawter, B. (1977): On Genesis. A New Reading, London.

Veijola, T. (1988): Das Opfer des Abraham – Paradigma des Glaubens aus dem nachexilischen Zeitalter, ZThK 85, 129–164.

Vermes, G. (1961/[2]1973): Scripture and Tradition in Judaism, 193–227.

Vermeylen, J. (1989): Les premières étapes littéraires de la formation du Pentateuque, in: A. de Pury (Hrsg.), Le Pentateuque en question, Labor et Fides, Genf, 149–197.

Vink, J. G. (1969): The Date and Origin of the Priestly Code in the Old Testament, OTS 15, Leiden, 2–114.

Vorländer, H. (1975): Mein Gott. Die Vorstellung vom persönlichen Gott im Alten Orient und im Alten Testament. AOAT 23, Kevelaer/Neukirchen-Vluyn.

– (1978): Die Entstehungszeit des jehowistischen Geschichtswerkes, EHS.T 109, Bern/Frankfurt a. M. u. a.

Wagner, N. E. (1967): Pentateuchal Criticism: No Clear Future, CJT 13, 225–232.

Wahl, O. (1989): Die Flucht eines Berufenen (Gen 12, 10–20), FS Scharbert, Stuttgart, 343–359.

Wallis, G. (1969): Die Tradition von den Ahnvätern, ZAW 81, 18–40.
Weidmann, H. (1968): Die Patriarchen und ihre Religion im Licht der Forschung seit Julius Wellhausen, FRLANT 94, Göttingen.
Weiler, G. (^{2}1986): Ich verwerfe im Lande die Kriege. Das verborgene Matriarchat in Israel, München.
Weimar, P. (1974): Aufbau und Struktur der priesterlichen Jakobsgeschichte, ZAW 86, 174–203.
– (1974): Die Toledot-Formel in der priesterlichen Geschichtsdarstellung, BZ 18, 65–93.
– (1977): Untersuchungen zur Redaktionsgeschichte des Pentateuch, BZAW 146, Berlin/New York.
– (1980): Die Berufung des Mose. Literaturwissenschaftliche Analyse von Exodus 2, 23–5, 5, OBO 32, Fribourg/Göttingen.
– (1984): Struktur und Komposition der priesterschriftlichen Geschichtsdarstellung, BN 23, 81–134; BN 24, 138–162.
– (1988): Abraham, NBL, Lief. 1, Zürich, 14–21.
– (1988): Ahnfraugeschichten, NBL, Lief. 1, Zürich, 67f.
– (1988): Gen 17 und die priesterliche Abrahamgeschichte, ZAW 100, 22–60.
– (1989): Genesis 15. Ein redaktionskritischer Versuch, FS Scharbert, Stuttgart, 361–411.
Weinfeld, M. (1975): Sefer b^{e}reshit, Tel Aviv.
– (1985): Sarah and Abimelech, AOAT 215, Kevelaer/Neukirchen-Vluyn, 431–436.
– (1988): Historical Facts behind the Israelite Settlement Pattern, VT 38, 324–332.
Weippert, M. (1971): Abraham der Hebräer? Bemerkungen zu W. F. Albrights Deutung der Väter Israels, Bibl 52, 407–432.
– (1973): Fragen des israelitischen Geschichtsbewußtseins, VT 23, 415–442.
– (1982): Edom und Israel, TRE 9, 291–299.
Weisman, Z. (1985): Diverse Historical and Social Reflections in the Shaping of Patriarchal History, Zion, 1–13; englische Zusammenfassung: VIII.
– (1985): National Consciousness in the Patriarchal Promises, JSOT 31, 55–73.
Weiss, M. (1963): Einiges über die Bauformen des Erzählens in der Bibel, VT 13, 456–475.
– (1984): The Bible from Within. The Method of Total Interpretation, Jerusalem.
Wellhausen, J. (^{3}1899): Prolegomena zur Geschichte Israels, Berlin/Leipzig.
Wenham, G. J. (1987): Genesis 1–15, World Biblical Commentary 1, Waco (Texas).
– (1988): Genesis: An Authorship Study and Current Pentateuchal Criticism, JSOT 42, 3–18.
Westermann, C. (1975/^{2}1987): Genesis 12–50, EdF 48, Darmstadt.
– (1976): Die Verheißungen an die Väter. Studien zur Vätergeschichte, FRLANT 116, Göttingen.
– (1981): Genesis 12–36, BK 1, 2, Neukirchen-Vluyn.

Westermann, C. (1982): Genesis 37–50, BK 1.3, Neukirchen-Vluyn.
– (1982): Die Bedeutung der Vätergeschichte für die Gegenwart, Pastoraltheologie 71, 348–356.
Westman, H. (1969): Die Akedah, Antaios 10, 504–516.
White, H. C. (1975): The Initiation Legend of Ishmael, ZAW 87, 267–306.
– (1979): The Initiation Legend of Isaac, ZAW 91, 1–30.
Whybray, R. N. (1968): The Joseph Story and Pentateuchal Criticism, VT 18, 522–528.
– (1987): The Making of the Pentateuch. A Methodological Study, JSOT: Suppl. Series 53, Sheffield.
– (1989): Today and Tomorrow in Biblical Studies. II. The Old Testament, ET 100, 364–368.
Willi-Plein, I. (1979): Historiographische Aspekte der Josefsgeschichte, Henoch 1, 305–331.
– (1989): Genesis 27 als Rebekkageschichte. Zu einem historiographischen Kunstgriff der biblischen Vätergeschichten, ThZ 45, 315–334.
Winnett, F. V. (1965): Re-examining the Foundations, JBL 84, 1–19.
Wolff, H. W. (1969): Dodekapropheton 2. Joel und Amos, BK 14, 2, Neukirchen-Vluyn.
Worschech, U. (1983): Abraham. Eine sozialgeschichtliche Studie, EHS.T 225, Bern/Frankfurt a. M. u. a.
Wüst, M. ([2]1977): Beerseba, BRL, Tübingen, 36.
Wyatt, N. (1978): The Problem of the "God of the Fathers", ZAW 90, 101–104.
Zenger, E. (1977): Jahwe, Abraham und das Heil der Völker. Ein Paradigma zum Thema Exklusivität und Universalität des Heils, in: W. Kasper (Hrsg.), Absolutheit des Christentums, QD 79, Freiburg u. a., 39–62.
– (1983): Gottes Bogen in den Wolken. Untersuchungen zu Komposition und Theologie der priesterschriftlichen Urgeschichte, SBS 112, Stuttgart.
– (1987): Die neuere Diskussion um den Pentateuch und ihre Folgen für die Verwendung der Bibel im RU, Katechetische Blätter 112, 170–177.
– (1989): Der Gott Abrahams und die Völker. Beobachtungen zu Psalm 47, FS J. Scharbert, 413–430.
Zevit, Z. (1982): Converging Lines of Evidence bearing on the Date of P, ZAW 94, 481–511.
Ziderman, I. (1985/6): Rebecca's Encounter with Abraham's Servant, Dor leDor 14, 124 f.
Zimmerli, W. (1932): Geschichte und Tradition von Beerseba im Alten Testament, Diss. Göttingen.
– (1976): 1. Mose 12–25: Abraham, ZBK 1, 2, Zürich.
– (1980): Beerseba, TRE 5, 402–404.
Zobel, H.-J. (1965): Stammesspruch und Geschichte. Die Angaben der Stammessprüche von Gen 49, Dtn 33 und Jdc 5 über die politischen und kultischen Zustände im damaligen Israel, BZAW 95, Berlin.
– (1982): ja'aq(o)b, ThWAT 3, 752–777.
– (1987): Jakob/Jakobsegen, TRE 16, 461–466.

– (1989): Der frühe Jahwe-Glaube in der Spannung von Wüste und Kulturland, ZAW 101, 342–365.
Zuidema, W. (Hrsg.) (1987): Isaak wird wieder geopfert. Die „Bindung Isaaks" als Symbol des Leidens Israels. Versuche einer Deutung, Neukirchen-Vluyn.
Zuber, B. (1977): Marginalien zur Quellentheorie, DBAT 12, 14–29.

BIBELSTELLENREGISTER